ゼロから学ぶ
統計解析

小寺平治

XX大学経済学部1970年卒業生平均年収900万円－同窓会誌のこんな記事を手ばなしで喜ぶわけにはいきません。
同窓会で住所を把握している人は、多くは定職につき、ある程度の収入のある人たちでしょう。
また、アンケートの答えは、自己申告なのです。税務署へではなく母校同窓会へです。カッコよく見せたいと思って不思議はないでしょうね。
これが面接調査ですと、この傾向はさらに顕著になりかねません。
「ガールフレンドは何人いますか？」

1人もいません、とはいいにくいですよね。
「お小遣い毎月いくらですか？」「あなたの奥様の最終学歴は？」
面接調査のゆえ、事実をそのまま答えるとはかぎらず、質問内容によっては、入社試験の面接にかぎりなく近いものになってしまいます。
標本に偏りは付きものですから、味噌汁をよくかき混ぜたいものです。

講談社

はじめに……　　この本、見どころ・見せどころ

　世間のみなさま，こんにちは！
　わたくし，小寺平治(愛称平治親分)と申し，数学を少しやっている者です．けっして怪しい者ではございません．
　お引き立てのほど，よろしく，お願い申し上げます．
　わたくしが，本学(愛知教育大学)にお世話になったのは，1969年(紅顔の美青年(？)29才のとき)でしたから，今年(2002年)で，デビュー33年になります．
　この33年間，なぜか〝統計学〟の授業のない年はありませんでした．さらに，中部大学・名古屋工業大学・豊田工業大学・高等看護学校・…で非常勤講師(パート)として，統計学を教えてきました．
　この本は，この33年間のわたくしの授業経験をバックに誕生したものです．この本のいくつかの特徴を挙げて，みなさまの参考に供したいと存じます．

●**統計学の入門にムズカシイ数学は不要です**
　ある時期，わたくしは〝統計の基礎は確率にあり〟と考え，確率論をていねいに教えてみました．キチンとやろうとしますと，けっきょく，ルベーグ積分の講義になってしまい，確率収束だ，概収束だ，と得意になって教えたのです．
　ところが，ところがです．不思議なことに，学生諸君は黙ってノートをとるだけで，いっこうに授業にのってこないのです．
　密度関数の計算・延々と続く積分計算で学生諸君は完全に参ってしまい，いよいよ統計学の本論(サワリ)に入るころには息もたえだえ，学ぶ気力さえ失なってしまったのです．
　統計学の入門にムズカシイ数学は不要だったのです．
　いまや，天気予報にも確率が登場する時代です．
　確率は，常識を信頼し，正規分布・t分布・χ^2分布・…といういろい

ろな分布の密度関数は，グラフの概形とその特徴を頭に入れておくだけで十分です．ワープロの内部構造を熟知してなくても，文字や絵は描けますよね．

この本を読むのには，高校1〜2年生の数学で十分です．

釈迦に説法ではありませんが，Σ記号・順列・組合せの解説までコラムに入れるという余計なことをしてしまいました．〝ゼロから学ぶ〟を〝予備知識ゼロ〟と思ってしまったからです．

● roots・motivation・数値的具体例 を大切にしました．

わたくしは，完成品としての統計学を単なる論理の連鎖として天下り的に演繹するという方法は採りませんでした．

まず具体例から入り，どのようにして統計学の諸概念が形成されるか，その〝生い立ち〟が明らかになるように努めました．これが〝ゼロから学ぶ〟のもう一つの意味だと考えたからです．

この本は，単なる統計技法のマニュアル集ではありません．

また，この本には〝定義〟・〝定理〟というイカメシイ言葉は使っていません．大切なことは〝ポイント〟としてまとめ，

　　定義(新しい言葉や概念)には，■(ハコ)をつけ，

　　定理(重要な性質や結果)には，◆(ダイヤ)をつけました．

● 浮気を前提にお付き合いしていただきたいのです

この本は，はじめて統計学を学ぶ方々のための入門書です．

でも，統計学を一通り学んだけれども，どうも〝なっとく〟できない，とおっしゃる方．いま，大先生のムズカシイ授業に苦しんでいるという学生諸君，… どなたさまも，どうぞお気軽にご利用下さいませ．

また，正規曲線 $y = \dfrac{1}{\sqrt{2\pi}} e^{-\frac{1}{2}x^2}$ の分母に突然円周率って，どうしてなの？ 正規分布の再生性って，なぜ？ etc. etc. の疑問に答えてくれる手軽な参考書のリストを巻末に用意いたしました．

統計実務に携わる方々が統計理論の根底に，理論家が統計現場の実状に，それぞれ関心をもち，楽しく，陽気に相互交流はいかがでしょう．意外なカップルが誕生するかもしれませんよ．

●練習問題は，やさしく素直なものばかりです

数学ギライを生産する一つの原因は，数学の本道から外れて妙にヒネクレた問題を，これでもか，これでもか，と押しつけることです．また，読んでも分からない本です．

くわしく親切な旅行ガイドブックがあったとしましょう．これを読むだけでなく，その土地へ実際に行ってみることによって，はじめて，その土地が本当に分かるものでしょう．

この本の練習問題は，本文の理解を確認補充するためのやさしく素直なものばかりです．ぜひ，あなた自身で解いてみて下さい．

わたくしは，この本を，飲食を忘れず，一所懸命にかきました．少しでも，お役に立てば幸いです．

この本の使用データの大部分は，各関係機関からいただいたナマの統計資料に基づくものです．同僚鈴木将史さんは，専門家の立場からよきアドバイスを下さいました．

講談社サイエンティフィクの末武親一郎さんから，"小寺先生，ぜひ"と執筆のお話をいただいたときは，夢ではないかとわが頬をつねってみたのでした．

企画・編集・出版をともに歩んで下さった編集部の大塚記央さん・イラストの角口美絵さん・豊国印刷(株)のみなさん．

これらの方々に，心よりお礼を申し上げます．

  2002年　1月

小　寺　平　治

ゼロから学ぶ統計解析　目次

1章　データの超整理法

1.1. データを表や図にする法 …… 2
- データの収集 …… 2
- 度数分布 …… 2
- ヒストグラム …… 8
- 累積度数折れ線 …… 9

1.2. データの特性を示す数値 …… 14
- 平均 …… 14
- メディアン …… 18
- モード …… 21
- 分散 …… 23
- 平均・分散の基本性質 …… 26
- チェビシェフの定理 …… 30
- 変動係数 …… 31

1.3. 二つの変量の関係を知る法 …… 34
- 相関関係 …… 34
- 相関係数 …… 36
- 相関係数の計算 …… 37
- 回帰直線 …… 40

2章　分布両道――二項分布と正規分布

2.1. 気まぐれ変数を捕える法 …… 48
- 確率変数 …… 48
- 確率分布 …… 50
- 期待値（平均値）…… 52

分散・標準偏差 ……………………………………………………………… *54*

2.2. 気まぐれ変数のペア …………………………………………………… *58*
　　　同時確率変数 ………………………………………………………………… *58*
　　　確率変数の独立性 …………………………………………………………… *60*
　　　同時確率変数の期待値・分散 ……………………………………………… *64*

2.3. 二項分布の活用法 …………………………………………………… *70*
　　　二項分布 ……………………………………………………………………… *70*
　　　二項分布の期待値・分散 …………………………………………………… *74*

2.4. 正規分布の活用法 …………………………………………………… *78*
　　　正規分布 ……………………………………………………………………… *78*
　　　正規分布と確率 ……………………………………………………………… *81*
　　　正規分布の標準化 …………………………………………………………… *84*
　　　正規分布表の使い方 ………………………………………………………… *86*
　　　二項分布を正規分布で近似 ………………………………………………… *89*
　　　正規分布の再生性 …………………………………………………………… *93*

3章　ゼロから学ぶ推測統計

3.1. サンプルの性格を見抜く法 ……………………………………… *98*
　　　標本調査 ……………………………………………………………………… *98*
　　　母集団・標本 ………………………………………………………………… *99*
　　　乱数表 ……………………………………………………………………… *100*
　　　標本平均の平均 …………………………………………………………… *103*
　　　標本平均の分布 …………………………………………………………… *106*
　　　標本分散の平均 …………………………………………………………… *108*

3.2. 小学生の身長を推測する法 ……… *112*
- 母平均の推定・1 ……… *112*
- 母平均の推定・2 ……… *115*

3.3. 新製品の寿命のバラツキを知る法 ……… *123*
- カイ二乗分布 ……… *123*
- 母比率の推定 ……… *128*

4章 これでわかった！ 仮説検定

4.1. くじのウソをあばく法 ……… *136*
- 仮説検定 ……… *136*
- 母平均の検定・1 ……… *142*
- 母平均の検定・2 ……… *145*
- 等平均仮説の検定・1 ……… *148*
- 等平均仮説の検定・2 ……… *150*

4.2. 母分散の異同を判定する法 ……… *154*
- 母分散の検定 ……… *154*
- 等分散仮説の検定 ……… *155*
- 母比率の検定 ……… *162*

4.3. メンデルの法則を検証する法 ……… *166*
- 適合度の検定 ……… *166*
- 正規確率紙 ……… *173*
- 独立性の検定 ……… *177*
- 2×2分割表・イェツの補正 ……… *179*

4.4. 風が吹けばカラオケ屋が儲かる？ ………………………………… 184
    無相関検定 ……………………………………………………………… 184
    母相関係数の検定 ……………………………………………………… 186

●ゼロからゼミナール

Σ の意味と用法 ………………	17	順列 ………………………	72
Σ の性質 ……………………	27	組合せ ……………………	73
四分偏差 …………………	29	馬に蹴られて死んだ兵士の数 ………	76
相関関係と因果関係 ………	35	分布のタイプ ……………	83
相関係数とベクトルの交角 ………	39	味噌汁をよくかき混ぜたか ………	110
相関係数を読む目 ………	44	数字によるトリック ……	122
ポツポツ・ベッタリ ………	52	グラフによるトリック ……	133
絶対に損しない賭 …………	56	Epoch-making …………	172
大数の法則 ………………	67	相関は直線的関係 ………	188

●問題解答 ……………………………………………………………… 190

●付　表

乱数表/200　標準正規分布の確率/201　t 分布のパーセント点/202　χ^2 分布のパーセント点/203　F 分布の 5 パーセント点/204　F 分布の 2.5 パーセント点/206　z 変換表・1/208　z 変換表・2/208　正規確率紙/209

●参考書 ………………………………………………………………… 212
    索引 ……………………………………………………………………… 210

装丁/海野幸裕

第 1 章
データの超整理法

　さあ，これからわたくしと一緒に統計学をはじめましょう．
　統計学の関心は，個々のメンバーの特性や性格ではありません．
　統計学の関心は，あくまでも，

全体の状況・全体の傾向

なのです．それを知る基本は，

分布の型 と その平均・分散

です．大切なのは，アンケート調査・実験データ・抜き取り検査などで，**興味あるデータを入手する**ことです．そして，そのデータをよく見て，

その特徴を見抜く

ことなのです．
　推定・検定という統計技法は，それから後の話です．

1.1. データを表や図にする法

データの収集

統計の第一歩は，データの収集です．

次は，名古屋市郊外のS北高校の体力テスト・50ｍ走の記録の一部です．（2000年度・高一女子83名）

```
9.9   9.8   9.0   8.7   9.6   9.3   9.2   8.9   9.9   8.8
9.5   9.9   9.5   8.7   9.6   9.7   9.3   9.0   9.3   9.2
9.4   8.8   9.5   8.5   8.4   8.9   9.1   8.0   9.9   8.6
7.9   8.5   9.4   7.9   8.6   9.0   8.1   9.4   9.2  10.7
9.9   8.4   8.2   8.0   8.8   8.8   8.6   9.0   9.2  10.7
9.9   8.5   9.3   7.0  10.2   8.5   8.6   8.6   8.1   8.7
9.3   8.6   9.8   9.5   9.4   9.9   9.4   9.6   8.5   8.8
8.6   8.9   9.2   8.7   8.2   9.6   8.9   8.9   9.0   9.6
8.9   8.6   9.7   (秒)
```

度数分布

統計学の関心は，個々の生徒の記録ではなく，**全体の傾向**です．この83個を，ただばくぜんと眺めているだけでは全体の傾向はつかめません．

各タイムごとに，その人数を数えてみましょう：

タイム	7.0	7.1	7.2	7.3	7.4	7.5	7.6	7.7	7.8	7.9
人数	1	0	0	0	0	0	0	0	0	2

タイム	8.0	8.1	8.2	8.3	8.4	8.5	8.6	8.7	8.8	8.9
人数	2	2	2	0	2	5	7	4	5	6

タイム	9.0	9.1	9.2	9.3	9.4	9.5	9.6	9.7	9.8	9.9
人数	5	1	5	5	5	4	6	2	3	6

タイム	10.0	10.1	10.2	10.3	10.4	10.5	10.6	10.7	(秒)
人数	0	0	1	0	0	0	0	2	(人)

ご覧のように，8.6秒が一番多く，7人．次いで8.9秒・9.6秒・9.9秒の6人です．

この表は，50m走のタイムを0.1秒刻みに取ってありますので，7.0秒から，10.7秒まで，じつに38個の階級に分かれています．

これでは，タイムが分散しすぎていますね．全体の傾向をつかむには，階級の個数がもうすこし少ない方がよいでしょう．

そこで，最も速いタイム7.0秒と最も遅いタイム10.7秒を考慮して，たとえば，0.4秒刻みの次のような10段階の階級を考えてみましょう：

  6.95 ～ 7.35 （7.0, 7.1, 7.2, 7.3が属する階級）
  7.35 ～ 7.75 （7.4, 7.5, 7.6, 7.7が属する階級）
   ⋮   ⋮
  10.55 ～ 10.95 （10.6, 10.7, 10.8, 10.9が属する階級）

階級の境界を，6.95, 7.35のような細かい値にしたのは，実測値が階級の境界と一致しないようにするための配慮です．

こうして，各階級に属する人数を数えますと，次の表が得られます：

階　　級	人　数
6.95 ～ 7.35	1
7.35 ～ 7.75	0
7.75 ～ 8.15	6
8.15 ～ 8.55	9
8.55 ～ 8.95	22
8.95 ～ 9.35	16
9.35 ～ 9.75	17
9.75 ～ 10.15	9
10.15 ～ 10.55	1
10.55 ～ 10.95	2
計	83

このように，入手したデータをいくつかのクラス(階級)に分類記述するのが，度数分布の考え方です．度数分布は，**データの要約整理**なのです．

いま，上で，データを10個の階級に分類してみましたが，階級の個数をもっと少なく，たとえば，1.0秒刻みの4個の階級を考えますと，次の表が得られます：

階　　級	人　数
6.95 ～ 7.95	3
7.95 ～ 8.95	35
8.95 ～ 9.95	42
9.95 ～ 10.95	3
計	83

いかがでしょうか．この表から一見して，

$$8.95 \sim 9.95 \quad (秒)$$

という階級に属する——すなわち9秒台のタイムの——人数が42人で一番多いことが分かります．しかし，これでは，分類が粗すぎて，データが要約されすぎている，といえるでしょう．

それでは，いったい，データをいくつの階級に分類するのが適当なのでしょうか？

データの大きさ(調査人数) N に対して，階級の個数 n の目安として，

$$n = 1 + \frac{\log_{10} N}{\log_{10} 2} \quad \textbf{(スタージェスの公式)}$$

という有名な公式があります．

また，『確率でみる人生』(ブルーバックス)などで著名な鈴木儀一郎先生は，経験的にも妥当だということで，

$$n = 1.7 \sqrt[3]{N} \quad \textbf{(鈴木の公式)}$$

を提案しておられます．

N	50	80	100	1000	10000
Sturges	7	7	8	11	14
Suzuki	6	7	8	17	37

階級の個数は，これらの公式で機械的に計算すればよいというものではないでしょう．大切なのは〝分布の特徴がよく分かるように〟ということです．おおよその見当として，次のように考えてはいかがでしょうか：

$$\begin{cases} N : 50\text{ 前後} & \Longrightarrow \quad 5 \leqq n \leqq 7 \\ N : 100\text{ 前後} & \Longrightarrow \quad 8 \leqq n \leqq 12 \\ N : 100\text{ 以上} & \Longrightarrow \quad 10 \leqq n \leqq 30 \end{cases}$$

　たとえば，上の例では，$N=83$（人）でしたから，$n=8$としてみます．
　ところで，50m走の記録で，最も速いタイム・最も遅いタイムは，

$$\text{Min}=7.0, \ \text{Max}=10.7 \quad (秒)$$

ですから，$n=8$階級に分けることにしますと，

$$\frac{\text{Max}-\text{Min}}{n} = \frac{10.7-7.0}{8} = 0.46\cdots \fallingdotseq 0.5$$

より，階級幅を 0.5（秒）とすると，見やすい表になります：

階　　級	人　数
6.95 〜 7.45	1
7.45 〜 7.95	2
7.95 〜 8.45	8
8.45 〜 8.95	27
8.95 〜 9.45	21
9.45 〜 9.95	21
9.95 〜 10.45	1
10.45 〜 10.95	2
計	83

　さて，いま考えた女子高生83人のような調査対象の全体を**集団**，その個々のメンバーを**個体**とよびます．
　さらに，50m走のタイムのような個体の数値化された特性の全体を**データ（資料）**，データを構成する数値の（延べ）個数（すなわち個体総数）をデータの**サイズ（大きさ）**とよびます．

集団　　　　　　データ

　一般に，サイズ N のデータが与えられたとき，その中の最大値 Max と最小値 Min の差
$$R = \mathrm{Max} - \mathrm{Min}$$
を，**レンジ(範囲)** とよびます．この N 個から成るデータを，
$$a_0 \sim a_1,\ a_1 \sim a_2,\ \cdots,\ a_{n-1} \sim a_n$$
という等間隔の n 個の階級に分類します．

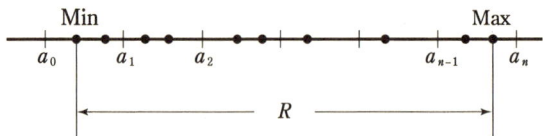

　このとき，各階級 $a_{i-1} \sim a_i$ に属するメンバーの個数 f_i を，この階級の **度数**，階級の中央の値
$$x_i = \frac{a_{i-1} + a_i}{2}$$
を，この階級 $a_{i-1} \sim a_i$ を代表する値という意味で **階級値** とよびます．

この階級には，いろいろな値のメンバーがいくつか入っているのでしょうが，それを"x_i という値のメンバーが f_i 個だけ属している"と割り切って考えるのです．

さらに，この階級に x_i のメンバーが全体の何％属しているか，という"割合"の方が分かりやすいという場合もあるでしょう．

また，50m 走で，9.0 秒より速いタイムの総人数が必要なことがあるかもしれません．そこで，必要に応じて，次を考えることもあります：

相 対 度 数　f_i/N

累 積 度 数　$F_i = f_1 + f_2 + \cdots + f_i$

累積相対度数　F_i/N

これらを記入した次の形の表を，**度数分布表**といいます：

階　　級	階級値	度数	相対度数	累積度数	累積相対度数
$a_0 \sim a_1$	x_1	f_1	f_1/N	F_1	F_1/N
$a_1 \sim a_2$	x_2	f_2	f_2/N	F_2	F_2/N
$\vdots$	$\vdots$	$\vdots$	$\vdots$	$\vdots$	$\vdots$
$a_{n-1} \sim a_n$	x_n	f_n	f_n/N	F_n	F_n/N
計	——	N	1	——	——

たとえば，p.5 の表から，次の度数分布表が得られます：

階　　級	階級値	度数	相対度数	累積度数	累積相対度数
6.95 ～ 7.45	7.2	1	1.2 ％	1	1.2 ％
7.45 ～ 7.95	7.7	2	2.4	3	3.6
7.95 ～ 8.45	8.2	8	9.6	11	13.3
8.45 ～ 8.95	8.7	27	32.5	38	45.8
8.95 ～ 9.45	9.2	21	25.3	59	71.1
9.45 ～ 9.95	9.7	21	25.3	80	96.4
9.95 ～ 10.45	10.2	1	1.2	81	97.6
10.45 ～ 10.95	10.7	2	2.4	83	100.0
計	——	83	100.0	——	——

▶注　この表の相対度数 1.2％, 2.4％, … の合計は, 99.9％です.

　　ピッタリ100％にならないのは, 1.2％, 2.4％, … という数が四捨五入による"近似値"だからです.

　　名古屋は200万都市だ, 日本の人口は1億2000万人だ, といいますが, **統計に現われる数字**は何らかの意味で**近似値**なのです.

ヒストグラム

　度数分布を図示したものを**ヒストグラム**といいます.

　例の83名の女子高生の50m走のデータを, 4階級および8階級の度数分布表から作ったヒストグラムは, それぞれ次のようになります:

階　級	度数
6.95 ～ 7.95	3
7.95 ～ 8.95	35
8.95 ～ 9.95	42
9.95 ～ 10.95	3
計	83

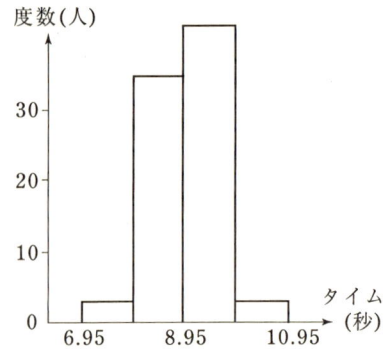

階　級	度数
6.95 ～ 7.45	1
7.45 ～ 7.95	2
7.95 ～ 8.45	8
8.45 ～ 8.95	27
8.95 ～ 9.45	21
9.45 ～ 9.95	21
9.95 ～ 10.45	1
10.45 ～ 10.95	2
計	83

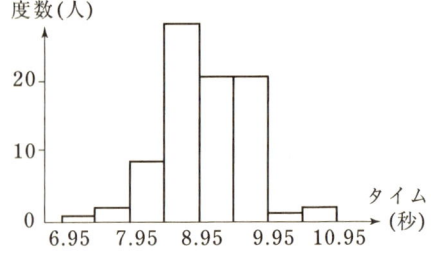

試みに，このデータのいろいろな階級数のヒストグラムをかいてみます．

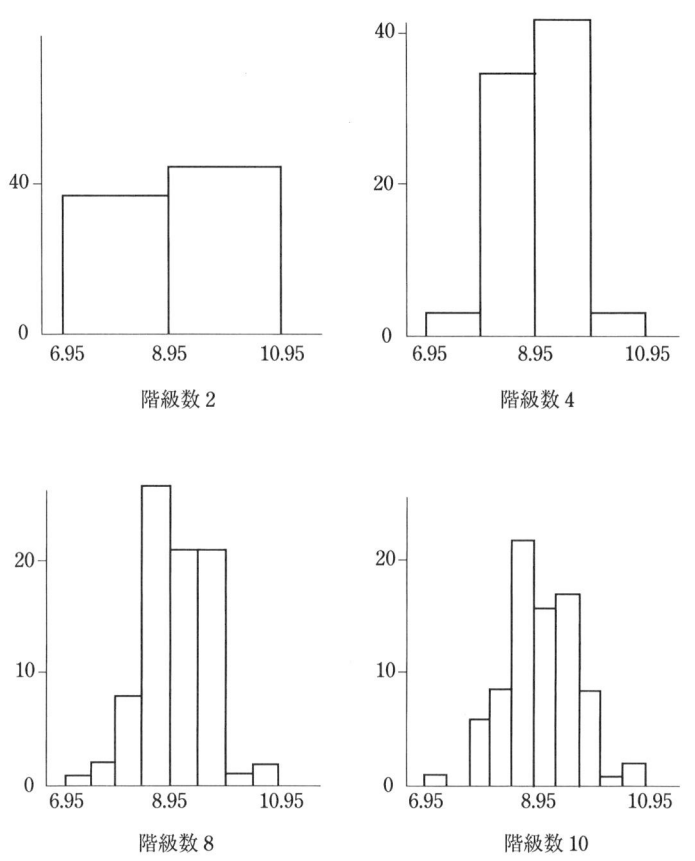

　ご覧のように，これらは，すべて同一データからのヒストグラムなのですが，階級の切り方によって，ずいぶん違った形になってしまいますね．この事実からも，度数分布表の階級数・階級の設定がいかに大切かがお分かりいただけると思います．

累積度数折れ線
　度数分布表の度数を図に表示したものがヒストグラムですが，さらに，

次のもの考えることがあります：
度数(分布)折れ線 ― 度数を折れ線で表示したもの
累積度数折れ線 ― 累積度数を折れ線で表示したもの
次の度数分布表から，これらを描くと下のようになります：

階　　級	階級値	度数	累積度数
$a_0 \sim a_1$	x_1	f_1	F_1
$a_1 \sim a_2$	x_2	f_2	F_2
$\vdots$	$\vdots$	$\vdots$	$\vdots$
$a_{n-1} \sim a_n$	x_n	f_n	F_n
計	―	N	―

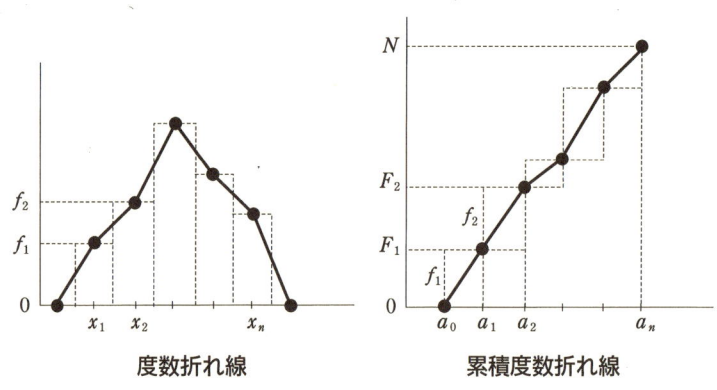

度数折れ線　　　　　累積度数折れ線

■度数分布表作成上の注意
- ●階級の幅 … 範囲 R ÷ 階級数 n より多少大きい整数か有限小数．
- ●階級の端 … 実測値と一致しないことが望ましい．一致する場合は，どちらの階級に入れるか決めておく．

［例］ 次は，大学入試センター試験（2001年度）数学IAを受験した東京都立A高校生65人の自己採点の結果である：

87 55 62 67 97 67 68 70 82 52 88 68 65 67 59
40 85 55 100 66 43 65 85 60 66 78 72 68 77 41
65 60 70 75 88 60 72 71 58 68 36 75 100 80 65
95 71 62 73 85 42 59 90 77 43 77 55 87 72 63
78 92 55 82 67

（1） 度数分布表を作れ．
（2） ヒストグラム・累積相対度数折れ線をかけ．

解　（1） 次の Step Ⅰ ～ Ⅲ の順に従う．

Ⅰ．レンジ R・階級数 n を求める：

与えられたデータから，

$$\text{Max}=100, \ \text{Min}=36 \ \text{(点)}$$

だから，

$$R=\text{Max}-\text{Min}=100-36=64$$

$N=65$ だから，スタージェスの公式を用いて，

$$n=1+\frac{\log_{10}N}{\log_{10}2}=1+\frac{\log_{10}65}{\log_{10}2}=1+\frac{1.813}{0.301}=7.02$$

また，鈴木の公式によっても，

$$n=1.7\sqrt[3]{N}=1.7\sqrt[3]{65}=1.7\times 4.02=6.83$$

したがって，階級数を，$n=7$（個）にする．

このとき，

$$\frac{R}{n}=\frac{64}{7}=9.14$$

よって，この9.14より少し大きめに，階級幅を10（点）に決める．10点刻みにすると，度数分布表も見やすい．

Ⅱ．階級・階級値を決める：

データの中に100点が存在するから，10点刻みは，次のようになる：

$$31\sim 40, \ 41\sim 50, \ \cdots, \ 91\sim 100 \ \text{(点)}$$

したがって，7個の階級は，

$$30.5\sim40.5,\ 40.5\sim50.5,\ \cdots,\ 90.5\sim100.5$$
階級値は，これらの階級の中点だから，
$$35.5,\ 45.5,\ \cdots,\ 95.5$$
である．

III. 各階級の度数を数え，度数分布表を作る：

点　数	集　　計	人　数
31 〜 40	//	2
41 〜 50	////	4
51 〜 60	卅 卅 /	11
61 〜 70	卅 卅 卅 ////	19
71 〜 80	卅 卅 ////	14
81 〜 90	卅 卅	10
91 〜 100	卅	5
計		65

これから，度数分布は，次のようになる：

階　　級	階級値	度数	相対度数	累積度数	累積相対度数
〜 40.5	35.5	2	3.1 %	2	3.1 %
40.5 〜 50.5	45.5	4	6.2	6	9.2
50.5 〜 60.5	55.5	11	16.9	17	26.2
60.5 〜 70.5	65.5	19	29.2	36	55.4
70.5 〜 80.5	75.5	14	21.5	50	76.9
80.5 〜 90.5	85.5	10	15.4	60	92.3
90.5 〜	95.5	5	7.7	65	100.0
計	——	65	100.0	——	——

(2) ヒストグラムは，次のようになる：

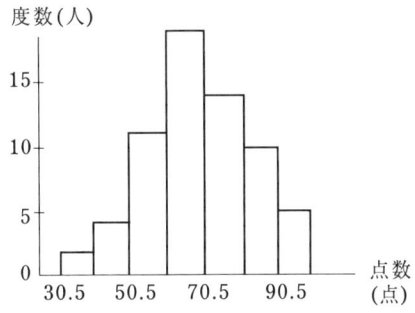

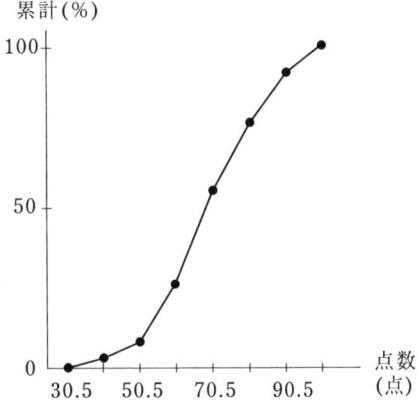

―― 練習問題 ――

1.1.1 次は，大学入試センター試験（2001年度）生物IBを受験した東京A高校生51人の自己採点の結果である．

度数分布表・ヒストグラム・累積相対度数折れ線をかけ．

65	87	63	53	73	71	64	68	88	71	55	77	80	73	65
95	70	65	58	77	71	40	78	74	48	68	64	78	82	95
70	87	73	69	58	85	77	74	93	55	88	67	71	53	95
49	77	65	69	87	78									

1.2. データの特性を示す数値

平均

生物 IB を受験した A 高校生 51 人の自己採点の結果は次のようでした：

```
65  87  63  53  73  71  64  68  88  71  55  77  80  73  65
95  70  65  58  77  71  40  78  74  48  68  64  78  82  95
70  87  73  69  58  85  77  74  93  55  88  67  71  53  95
49  77  65  69  87  78
```

一方，同じ年，同じセンター入試生物 IB を受験した愛知県立 B 高生 42 人の自己採点の結果は，次の通りでした．

```
58  75  93  43  73  63  70  87  45  65 100  78  85  70  60
83  67  73  67  95  54  87  65  31  78  50  90  77  35  93
82  39  80  87  63  84  75  60  78  72  61  58
```

いかがでしょうか，これらの数値をばくぜんと眺めていても，A 高生・B 高生どちらが，成績がよかったのか？ 迷ってしまいますね．

A 高生の方はツブがそろっているようにも見えますが，B 高生の方は，100 点から 30 点台まで多種多様 —— こんなとき，両校の成績を代表する数値があれば，とは誰しも考えることでしょう．

そこで，考え出されたのが，有名な

平均（相加平均）

なのです．この他にも，データの特徴や使用目的などによって，

メディアン（中位数）・モード（最頻値）

などがあります．

これらの意味・求め方については，順次説明いたしますが，これらを，データを代表する値という意味で，**代表値**と総称します．

ところで，A高生の得点 x の平均点を $\bar{x}$ とかきます．B高生の得点 y の平均点は，もちろん，$\bar{y}$ とかきます．ついでですが，この x，y は〝x バー，y バー〟と読みます．ちなみに「バー」は，横棒（bar）という意味です．

平均 $\bar{x}$，$\bar{y}$ の計算方法は，すでにご存じでしょう．各自の得点の合計を人数で割ればいいわけですね．

$$\bar{x} = \frac{1}{51}(65+87+63+\cdots+78) = \frac{1}{51} \times 3656 = 71.7 \quad （点）$$

$$\bar{y} = \frac{1}{42}(58+75+93+\cdots+58) = \frac{1}{42} \times 2949 = 70.2 \quad （点）$$

▶**注** 念のために申し上げますが，この 71.7（点）・70.2（点）という値は，$\bar{x}=71.68\cdots$，$\bar{y}=70.21\cdots$ の近似値なのです．統計学で扱う数は，ほとんど，四捨五入などによる**近似値**だとご承知下さい．

この〝平均〟が，データの代表値として最もよく使われる理由は何でしょうか？ 次の三つが考えられます：

（1） 平均の意味が分かりやすい．
（2） データのすべての値が計算に使用される．
（3） その計算が単純である．

さて，次に，データが度数分布表で与えられた場合を考えてみます：

階　　級	階級値	度　数
39.5 ～ 49.5	44.5	3
49.5 ～ 59.5	54.5	6
59.5 ～ 69.5	64.5	12
69.5 ～ 79.5	74.5	18
79.5 ～ 89.5	84.5	8
89.5 ～ 99.5	94.5	4
計	——	51

たとえば，この表の一番上の数字の意味は，

階級 39.5〜49.5 には，44.5 点の生徒が 3 人だけいる
という意味ですから，

　　　階級 39.5〜49.5 内の総得点は　…　$44.5 \times 3 = 133.5$（点）
　　　階級 49.5〜59.5 内の総得点は　…　$54.5 \times 6 = 327.0$
　　　階級 59.5〜69.5 内の総得点は　…　$64.5 \times 12 = 774.0$
　　　階級 69.5〜79.5 内の総得点は　…　$74.5 \times 18 = 1341.0$
　　　階級 79.5〜89.5 内の総得点は　…　$84.5 \times 8 = 676.0$
　＋　階級 89.5〜99.5 内の総得点は　…　$94.5 \times 4 = 378.0$

　　　51 人全員の総得点は　…　合計して，3629.5（点）

したがって，平均点 $\bar{x}$ は，

$$\bar{x} = \frac{1}{51} \times 3629.5 = 71.2 \text{（点）}$$

あらためて式でかけば，次のようになります：

$$\bar{x} = \frac{1}{51}\{(44.5 \times 3) + (54.5 \times 6) + \cdots + (94.5 \times 4)\} = 71.2$$

▶注　度数分布は，生のデータの〝要約〟ですから，度数分布から計算した平均は，生のデータからの結果から多少ズレています．

以上は，次のように一般化されます：

■ポイント　　　　　　　　　　　　　　　　　　　　　　平　均

● 生のデータ $(x_1', \cdots, x_N')$ が与えられたとき：

$$\bar{x} = \frac{1}{N}(x_1' + x_2' + \cdots + x_N') = \frac{1}{N}\sum_{k=1}^{N} x_k'$$

● データが度数分布表で与えられたとき：

$$\bar{x} = \frac{1}{N}(x_1 f_1 + x_2 f_2 + \cdots + x_n f_n)$$

$$= \frac{1}{N}\sum_{k=1}^{n} x_k f_k$$

階級値	度数
x_1	f_1
x_2	f_2
⋮	⋮
x_n	f_n
——	N

次に，ここで用いた $\overset{\text{シグマ}}{\sum}$ 記号について説明しましょう．

ゼロからゼミナール　　Σの意味と用法

　Σは，Sum（和）の頭文字Sに対応するギリシア文字シグマの大文字です．

　たとえば，$\sum_{k=1}^{n} k^2$ は「シグマ k^2，$k=1$ から n まで」と読むことがあります．いま，

　　k^2 で，$k=1$ とおけば，1^2
　　k^2 で，$k=2$ とおけば，2^2
　　k^2 で，$k=3$ とおけば，3^2
　　　　　　　$\vdots$
　　k^2 で，$k=n$ とおけば，n^2

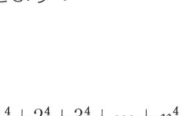

これらの総和を，$\sum_{k=1}^{n} k^2$ とかきます：

少し例を挙げましょう．

$$\sum_{k=1}^{n} k^4 = 1^4 + 2^4 + 3^4 + \cdots + n^4$$

$$\sum_{k=1}^{n} 3^k = 3^1 + 3^2 + 3^3 + \cdots + 3^n$$

$$\sum_{k=1}^{n} 5 = 5 + 5 + 5 + \cdots + 5 = 5n$$

一般に，次のような使い方をします：

$$\sum_{k=1}^{n} a_k = a_1 + a_2 + \cdots + a_n$$

また，もちろん，変数は k でなくてもよいし，番号も1番からでなくても一向にかまいません．

$$\sum_{j=1}^{n} j^3 = 1^3 + 2^3 + 3^3 + \cdots + n^3$$

$$\sum_{r=4}^{n+1} r^3 = 4^3 + 5^3 + 6^3 + \cdots + (n+1)^3$$

メディアン

　代表値といえば，誰でも〝平均〟というように，平均は有名で便利なものです．

　でも，複雑なデータを一つの数値に集約するのですから，データの多くの個性が消え失せてしまうこともまた事実なのです．

　たとえば，年収500万～800万円の中堅サラリーマンの住む新興住宅地に，年収10億円の実業家が大邸宅を構えたとしましょう．平均年収は一気にハネ上がり，実態とはかけ離れた数字になってしまいます．

　このように，データに極端な値が混入している場合，代表値としてメディアンがよく使われるのです．

　データを大小の順に並べたとき，ちょうど真ん中の値を，変量 x の**メディアン**または**中位数**とよんで，$\tilde{x}$ または $Me(x)$ などとかきます．

　ごく簡単な例で説明しましょう．

　いま，T大女子バレー部員の学部ごとの身長は，次のようです：

　　　　　体育学部：168，165，170，174，165　（cm）
　　　　　家政学部：165，170，164，168

体育学部のデータを背の低い方から順に並べてみますと，

　　　　　　165，165，168，170，174

このちょうど真ん中，前から数えても，後から数えても3番目の168 cmが，メディアンになります：

$$\tilde{x} = Me(x) = 168 \quad (\text{cm})$$

家政学部の場合も，低い方から順に並べてみますと，

$$164,\ 165,\ 168,\ 170$$

4人は偶数ですから，真ん中の二つ165, 168の平均をメディアンとよびます：

$$\tilde{y} = Me(y) = \frac{165+168}{2} = 166.5 \ \text{（cm）}$$

今度は，データが度数分布表で与えられた場合を考えてみます．

階　　級	階級値	度数	累積度数
6.95 ～ 7.45	7.2	1	1
7.45 ～ 7.95	7.7	2	3
7.95 ～ 8.45	8.2	8	11
8.45 ～ 8.95	8.7	27	38
8.95 ～ 9.45	9.2	21	59
9.45 ～ 9.95	9.7	21	80
9.95 ～ 10.45	10.2	1	81
10.45 ～ 10.95	10.7	2	83
計	――	83	――

この場合，データのサイズは，$N=83$（奇数）ですから，メディアンは，$(N+1)/2=(83+1)/2=42$番目のメンバーです．

この42番目のメンバーは，累積度数欄から，階級8.95～9.45のメンバーであることが分かります．

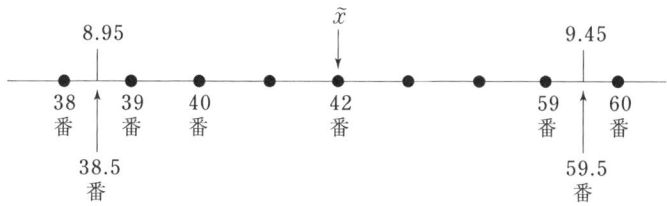

このとき，この階級に，39番目から59番目までの21個のメンバーが，

等間隔
$$\frac{9.45-8.95}{59-38}=\frac{0.5}{21}$$
で行儀よく並んでいると見なすのです．さらに，階級下端を 38.5 番目のメンバーと見なします．

このように考えますと，メディアン $\tilde{x}$ は，42 番目のメンバーでしたから，階級下端から，
$$42-38.5=3.5 \text{ 番目後のメンバー}$$
ということになります．したがって，求めるメディアンは，
$$\tilde{x}=8.95+\frac{0.5}{21}\times(42-38.5)=9.03$$
となるわけです．

▶**注** 階級 8.95～9.45 に階級代表値 9.2 が 21 個入っている，との考え方から，42 番目のメンバーが属する階級の代表値 9.2 をメディアン $\tilde{x}$ に採用することもあります．

以上を一般化して，データのメディアンを次のように定義します：

―― ■ポイント ―――――――――――――― メディアン ――

● 生のデータを，大きさの順に並べたものを，
$$x_{(1)} \leqq x_{(2)} \leqq \cdots \leqq x_{(N)}$$
とするとき，次を x の**メディアン（中位数）**という：
$$\tilde{x}=Me(x)=\begin{cases} x_{(k+1)} & (N=2k+1) \\ (x_{(k)}+x_{(k+1)})/2 & (N=2k) \end{cases}$$

● 度数分布表が与えられたとき，
$$F_{k-1} \leqq N/2 < F_k$$
なる k を用いて，
$$\tilde{x}=a_{k-1}+\frac{h}{f_k}\left(\frac{N}{2}-F_{k-1}\right)$$
ここに，$h=a_k-a_{k-1}$ は，階級幅である．

階 級	度数	累積度数
$a_0 \sim a_1$	f_1	F_1
$a_1 \sim a_2$	f_2	F_2
⋮	⋮	⋮
$a_{n-1} \sim a_n$	f_n	F_n
計	N	―

モード

9人のグループで旅行しようという話が持ち上がり，ワイワイ・ガヤガヤやった後で，目的地の希望を聞いたところ，

$$\text{北海道4 \quad 東京3 \quad 京都1 \quad 博多1}$$

という結果でした．このとき，多数決で，北海道へ行こう！というのが，"モード"の考え方です．

「今年は，このタイプがよく出ますね」とブティックの店主（オーナー）．

「わたしも，それにしようかしら」

このように，流行（mode）が，まさにモードなのです．

このように，度数の最も多い値を，変量 x の**モード（最頻値・並み数）**とよび，$\tilde{x}_0$ または $M_o(x)$ などとかきます．たとえば，

$$1, 4, 1, 4, 2, 1, 3, 5, 6$$

のモードは，

$$\tilde{x}_0 = M_o(x) = 1$$

です．また，

$$2, 2, 3, 6, 0, 6, 7, 9, 7$$

の場合，最大度数同点の 2,6,7 は，すべてモードとよびます．

変量 x のデータが，度数分布表で与えられた場合はどうでしょうか．この場合は，最大度数をもつ階級の階級値を x のモードとよびます．

次は，ある試験の得点の度数分布表です：

階級	階級値	度数	累積度数
～29.5	24.5	2	2
29.5～39.5	34.5	10	12
39.5～49.5	44.5	8	20
49.5～59.5	54.5	6	26
59.5～69.5	64.5	5	31
69.5～79.5	74.5	4	35
79.5～	84.5	2	37
計	——	37	——

この場合，得点 x のモードは，
$$\tilde{x}_0 = M_o(x) = 34.5 \quad (点)$$
となります．

三種の代表値の比較上の度数分布表について，三種の代表値平均 $\bar{x}$・メディアン $\tilde{x}$・モード $\tilde{x}_0$ を，度数分布表折れ線とともに，図示してみましょう．

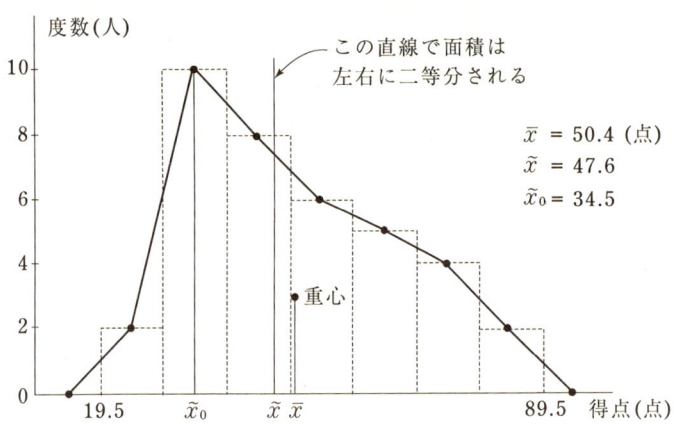

上のような多少難かしめの試験とか貯蓄高別世帯数のように右側へ長い裾をもつ分布の場合は，平均とモードは離れた値になっています．左右対称で山型の分布の場合は，平均・メディアン・モードの三者は，ごく近い値になります．

この三種の代表値は，それぞれの特徴があります．どの代表値が一番というものではありません．採用は，ケース-バイ-ケースです．ですから三つの代表値の存在理由があるのです．オリンピックの器械体操の得点の決め方は，ご存じのように，一番高い点数と一番低い点数とを除外し，残る審判員の点数の平均を得点にするのですね．これは，上の三種の代表値を上手に組み合わせた工夫です．

分散

意味を鮮明にするために,多少極端な例を考えます.

いま,A,Bという二つの5人から成るグループの身長 x, y が,仮に,

A：155, 160, 165, 170, 175 (cm)
B：163, 164, 165, 166, 167

だったとしましょう.このとき,平均身長は,どちらのグループも,

$$\bar{x} = 165, \quad \bar{y} = 165 \quad (\text{cm})$$

で同じです.メディアンも,同じです.

それなら,両グループは,互いに同じような身長の人から成るグループでしょうか?

違いますね.ご覧のように,Aグループは,背の高い人,低い人,いろいろ混ざっているのに,Bグループの5人は,ほとんど同じ身長です.

このように,平均が等しく,その上メディアンまでが等しいからといって,データの様子(分布)が,同じだとはかぎりません.

ですから,データの**バラツキ具合を表わす数値**というものが必要になってきます.これが,データの**散布度**とよばれるものです.

散布度には,有名な分散・標準偏差の他に,変動係数・四分偏差・レンジ(範囲)があります.

この散布度(バラツキ具合)をどう考えたらよいでしょうか?

たとえば,上のグループAグループの身長でいえば,各自の身長が平均身長とどのくらい隔たりがあるのか? その隔たり,

155－165　160－165　165－165　170－165　175－165

というものが考えられます．

ところが，平均してどのくらいの隔たりがあるのでしょうか？と，あわてて，これらの平均を考えますと，

$$\frac{1}{5}\{(155-165)+(160-165)+(165-165)+(170-165)+(175-165)\}=0$$

正・負(プラス・マイナス)がキャンセルして，0になってしまいます．これでは意味がありません．そこで，それぞれの隔たりを $\geqq 0$ にすることを考えます．

まあ，各身長と平均身長との距離の平均」

$$\frac{1}{5}\{|155-165|+|160-165|+|165-165|+|170-165|+|175-165|\}$$

というものも一案でしょうが，じつは，この絶対値 $|x|$ は，計算処理が意外に面倒で実用的ではないのです．

そこで，考え出されたのが，2乗して負数(マイナス)を解消する $(\quad)^2 \geqq 0$ という方法なのです．

各身長と平均身長との隔たりを2乗して，

$$(155-165)^2 \quad (160-165)^2 \quad \cdots \quad (175-165)^2 \quad (cm^2)$$

これらの平均を作るのです．

$$\frac{1}{5}\{(155-165)^2+(160-165)^2+\cdots+(175-165)^2\}$$

$$=\frac{1}{5}\{(-10)^2+(-5)^2+0^2+5^2+10^2\}$$

$$=50 \quad (cm^2)$$

これを，身長 x の**分散**(ぶんさん)とよびます．

ところが，この分散の単位は，cm ではなく，cm^2 です．身長 (cm) のバラツキ具合というなら，やはり単位は cm の方がいいんじゃないか，ということで，分散の平方根を考えます：

$$\sqrt{分散}=\sqrt{50}=7.07 \quad (cm)$$

これを，身長 x の**標準偏差**(へんさ)とよび，

$$\sigma(x)$$

とかきます．単位は cm です．

すると，分散は逆に標準偏差の2乗ですから，
$$分散 = \sigma^2(x)$$
ということになります．

読み方は"シグマ2乗エックス"です．

各人の身長と平均身長との隔たりが大きければ大きいほど，分散・標準偏差は大きくなります．

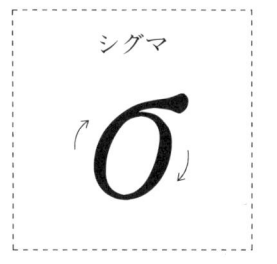

それでは，一般の変量 x の分散・標準偏差の定義を記しておきます：

■ポイント ─────────────── **分散・標準偏差**

● 生のデータ $(x_1', x_2', \cdots, x_N')$ が与えられたとき：

$$\sigma^2(x) = \frac{1}{N} \sum_{k=1}^{N} (x_k' - \bar{x})^2 : \textbf{分散}$$

$$\sigma(x) = \sqrt{\sigma^2(x)} : \textbf{標準偏差}$$

● データが度数分布表で与えられたとき：

$$\sigma^2(x) = \frac{1}{N} \sum_{k=1}^{n} (x_k - \bar{x})^2 f_k : \textbf{分散}$$

$$\sigma(x) = \sqrt{\sigma^2(x)} : \textbf{標準偏差}$$

ただし，$\bar{x}$ は変量 x の平均を表わす．

階級値	度数
x_1	f_1
x_2	f_2
$\vdots$	$\vdots$
x_n	f_n
計	N

試しに，先ほどの B グループ 5 人の身長 y の分散・標準偏差を計算してみますと，平均身長は，$\bar{y} = 165$ (cm) でしたから，

$$\sigma^2(y) = \frac{1}{5}\{(163-165)^2 + (164-165)^2 + (165-165)^2$$
$$+ (166-165)^2 + (167-165)^2\}$$
$$= \frac{1}{5}\{(-2)^2 + (-1)^2 + 0^2 + 1^2 + 2^2\}$$
$$= 2$$
$$\sigma(y) = \sqrt{\sigma^2(y)} = \sqrt{2} = 1.41 \quad \text{(cm)}$$

となります．

次に，この分散の大切な性質を少し述べることにします．

平均・分散の基本性質

　ある試験で,みんなの点数を 10 点ずつアップすれば,平均点も 10 点アップになりますし,みんなの点数を 2 倍にすれば,平均点も 2 倍になります．

　ところが,点数のバラツキは,全員同じように 10 点アップしても変わらないでしょう．得点を 2 倍にしたとき,バラツキはどうなるのでしょうか．

　たとえば,
　　　　　20　30　40　の平均は 30,標準偏差は $10\sqrt{2}/\sqrt{3}$
　　　　　40　60　80　の平均は 60,標準偏差は $20\sqrt{2}/\sqrt{3}$

ですから,点数を 2 倍にすると,標準偏差も 2 倍に,分散は $2^2=4$ 倍になりそうですね．

　じつは,この〝ゲタをはかせた点数〟の性質は,一般にも成立しまして,

　● 変量が $a>0$ 倍になると,平均は a 倍,分散は a^2 倍になる．
　● 変量に b を加えると,平均は b だけ増すが,分散は変わらない．

ということになります．これらを一つにまとめますと,

◆ポイント　　　　　　　　　　　**平均・分散の基本性質**

　変量 x, y が,$y=ax+b$ ($a\geqq 0$) を満たすとき,
　（1）　$\bar{y}=a\bar{x}+b$
　（2）　$\sigma^2(y)=a^2\sigma^2(x)$,　$\sigma(y)=a\sigma(x)$

　この性質を証明しましょう．

　証明　x, y の度数分布表を右のようだとしましょう．

階級値	x_1	x_2	$\cdots$	x_n	計
度　数	f_1	f_2	$\cdots$	f_n	N

階級値	y_1	y_2	$\cdots$	y_n	計
度　数	f_1	f_2	$\cdots$	f_n	N

$$y=ax+b$$

という条件は,$1\leqq k\leqq n$ のすべての番号 k について,

$$y_k=ax_k+b$$

が成立するということですから,平均 $\bar{y}$ と分散 $\sigma^2(y)$ は,

$$\bar{y}=\frac{1}{N}\sum_{k=1}^{n}y_k f_k=\frac{1}{N}\sum_{k=1}^{n}(ax_k+b)f_k$$

$$= \frac{1}{N} \sum_{k=1}^{n} (ax_k f_k + b f_k)$$

$$= \frac{1}{N} \left(\sum_{k=1}^{n} ax_k f_k + \sum_{k=1}^{n} b f_k \right)$$

$$= a \frac{1}{N} \sum_{k=1}^{n} x_k f_k + b \frac{1}{N} \sum_{k=1}^{n} f_k$$

$$= a\bar{x} + b \qquad (N = \sum_{k=1}^{n} f_k \text{ を用いました})$$

$$\sigma^2(y) = \frac{1}{N} \sum_{k=1}^{n} (y_k - \bar{y})^2 f_k$$

$$= \frac{1}{N} \sum_{k=1}^{n} ((ax_k + b) - (a\bar{x} + b))^2 f_k$$

$$= a^2 \frac{1}{N} \sum_{k=1}^{n} (x_k - \bar{x})^2 f_k = a^2 \sigma^2(x)$$

$$\sigma(y) = \sqrt{a^2 \sigma^2(x)} = a\sigma(x) \qquad \text{証終}$$

これらの式変形は，次の"Σの性質"によるものです：

ゼロからゼミナール　Σの性質

- $\sum_{k=1}^{n} (ax_k + by_k) = a\sum_{k=1}^{n} x_k + b\sum_{k=1}^{n} y_k$

 とくに，$a=b=1$ および $b=0$ の場合は，それぞれ，

- $\sum_{k=1}^{n} (x_k + y_k) = \sum_{k=1}^{n} x_k + \sum_{k=1}^{n} y_k$，$\sum_{k=1}^{n} ax_k = a\sum_{k=1}^{n} x_k$

 この性質は，次の式変形から明らかです：

$$(ax_1 + by_1) + (ax_2 + by_2) + \cdots + (ax_n + by_n)$$
$$= (ax_1 + ax_2 + \cdots + ax_n) + (by_1 + by_2 + \cdots + by_n)$$
$$= a(x_1 + x_2 + \cdots + x_n) + b(y_1 + y_2 + \cdots + y_n)$$

- 無限個の和を，

$$\sum_{k=1}^{\infty} x_k = x_1 + x_2 + \cdots + x_k + \cdots$$

 と表わせば，無限個の和について，上と同様の公式が成立します。

―◆ポイント――――――――平均・分散の平方関係――

変量 x の分散と平方 x^2 の平均 $\overline{x^2}$ のあいだに次の関係がある：
$$\sigma^2(x) = \overline{x^2} - (\bar{x})^2$$

証明 変量 x が右の上の方の度数分布表をもつとき，x^2 の度数分布表は下のようになる．

階級値	x_1	x_2	$\cdots$	x_n	計
度数	f_1	f_2	$\cdots$	f_n	N

階級値	x_1^2	x_2^2	$\cdots$	x_n^2	計
度数	f_1	f_2	$\cdots$	f_n	N

よって，x^2 の平均 $\overline{x^2}$ は，
$$\overline{x^2} = \frac{1}{N} \sum_{k=1}^{n} x_k^2 f_k$$
となる．したがって，
$$\begin{aligned}
\sigma^2(x) &= \frac{1}{N} \sum_{k=1}^{n} (x_k - \bar{x})^2 f_k \\
&= \frac{1}{N} \sum_{k=1}^{n} (x_k^2 - 2\bar{x} x_k + (\bar{x})^2) f_k \\
&= \frac{1}{N} \sum_{k=1}^{n} x_k^2 f_k - 2\bar{x} \frac{1}{N} \sum_{k=1}^{n} x_k f_k + (\bar{x})^2 \\
&= \overline{x^2} - 2\bar{x}\bar{x} + (\bar{x})^2 \\
&= \overline{x^2} - (\bar{x})^2
\end{aligned}$$
　　　　　　　　　　　　　　　　　　　　　　　　　　　　　　　　　　　　　証終

したがって，

　　　　　分散 ＝（平方の平均）－（平均の平方）

が得られたことになります．

たとえば，右のような簡単な例でやってみますと，

$$\bar{x} = \frac{1}{7} \{(40 \times 3) + (50 \times 4)\} = \frac{320}{7}$$

$$\overline{x^2} = \frac{1}{7} \{(40^2 \times 3) + (50^2 \times 4)\} = \frac{14800}{7}$$

階級値	度数
40	3
50	4
計	7

ですから，分散 $\sigma^2(x)$ は次のように計算できます：

$$\sigma^2(x) = \overline{x^2} - (\bar{x})^2 = \frac{14800}{7} - \left(\frac{320}{7}\right)^2 = \frac{1200}{49} = 24.5$$

ゼロからゼミナール　四分偏差

S社正社員8名の年間欠勤日数は，
$$7, 6, 2, 8, 5, 23, 4, 5 \text{ （日）}$$
でした．このように，他とかけ離れた値のメンバーをもつデータは，平均・分散ともにピンとはね上がってしまいます：
$$\bar{x} = 7.5, \ \sigma(x) = 6.1 \text{ （日）}$$

こんなとき，代表値としては，平均 $\bar{x}$ より，メディアン $\tilde{x}$ の方が適切です．上のデータを，小さいものから並べて，
$$2, 4, 5, 5, 6, 7, 8, 23$$
中間の二つのメンバーの平均が，メディアンです：
$$\tilde{x} = \frac{5+6}{2} = 5.5 \text{ （日）}$$

また，データの下半分のメディアンを $Q_1(x)$，上半分のメディアンを $Q_3(x)$ と記します．ついでに，データ全部のメディアン $\tilde{x}$ を $Q_2(x)$ と記すこともあります．

下半分：2, 4, 5, 5　　　　　　　上半分：5, 7, 8, 23
$$Q_1(x) = \frac{4+5}{2} = 4.5 \qquad Q_3(x) = \frac{7+8}{2} = 7.5$$

このとき，
$$Q(x) = \frac{1}{2}(Q_3(x) - Q_1(x)) = \frac{1}{2}(7.5 - 4.5) = 1.5$$
を，データ x の**四分偏差**といいます．

この四分偏差は，**例外メンバーをもつ**データの散布度として，よく用いられます．

▶注　四分偏差の意味は以上の通りですが，形式的な定義は，本により，人により，微妙な差があります．四分偏差は，もともと分散などの複雑な計算をさけて，バラツキ具合を**手軽に求める**ためのものでしたので，細かい相違点を気にする必要はありません．

チェビシェフの定理

分散 $\sigma^2(x)$ は，変量 x のバラツキ具合を表わすものでしたね．

分散の $\sigma^2(x)$ が小さいほど，データのメンバーは，平均の近所に集中しているわけです．このときの"集中度"を記述するのが，次のチェビシェフの定理です．

◆ポイント ―――――――――― チェビシェフの定理

平均 $\bar{x}=m$，標準偏差 $\sigma(x)=s$ のサイズ N のデータで，
$$m-ks<x<m+ks \quad (ただし，k\geqq 1)$$
なる範囲にあるメンバーの度数は，$\left(1-\dfrac{1}{k^2}\right)N$ 以上である．

たとえば，$k=2, 3$ の場合，定理の主張は，次のようになります．

$m-2s<x<m+2s$ を満たす x の個数は全体の $3/4$ 以上

$m-3s<x<m+3s$ を満たす x の個数は全体の $8/9$ 以上

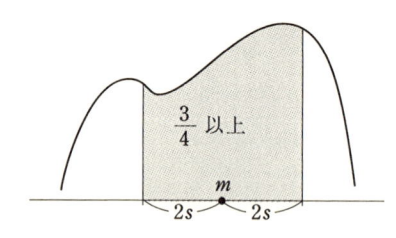

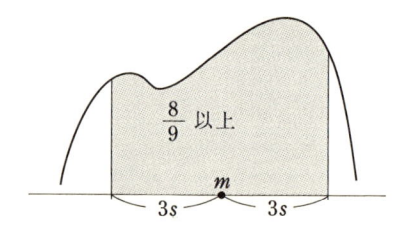

それでは，この定理を証明してみましょう．

証明 $s^2=\dfrac{1}{N}\sum\limits_{k=1}^{n}(x_k-m)^2 f_k$

を，次の二組の和に分けてみます：

$$s^2=\dfrac{1}{N}\left(\sum_{内}(x_k-m)^2 f_k+\sum_{外}(x_k-m)^2 f_k\right)$$

$\left[\begin{array}{l} \sum_{内} は， \\ \quad |x_k-m|<ks \\ \text{なる } k についての和 \end{array} \right. \left| \begin{array}{l} \sum_{外} は， \\ \quad |x_k-m|\geqq ks \\ \text{なる } k についての和 \end{array}\right]$

値	度数
x_1	f_1
x_2	f_2
$\vdots$	$\vdots$
x_n	f_n
——	N

ここで，思いきって，$\sum_\text{内}$ を捨ててしまいますと，

$$s^2 \geqq \frac{1}{N} \sum_\text{外} (x_k - m)^2 f_k$$

$$\geqq \frac{1}{N} \sum_\text{外} (ks)^2 f_k = \frac{1}{N} k^2 s^2 \sum_\text{外} f_k$$

$$\therefore \quad \sum_\text{外} f_k \leqq \frac{N}{k^2}$$

したがって，

$$\sum_\text{内} f_k = N - \sum_\text{外} f_k \geqq N - \frac{N}{k^2} = \left(1 - \frac{1}{k^2}\right) N$$

のように，証明が終わりました． **証終**

▶**注** チェビシェフの定理は，**どんな度数分布のデータについても成立する**ことに価値があるのです．そのために，$1-(1/k)^2$ 以上という評価は，一般には，かなりアマイものです．

とくに，身長の分布のような左右対称の山型の分布（正規分布）については，後で述べますように，

$m-s<x<m+s$ の範囲には，全体の約 2/3 が含まれる
$m-2s<x<m+2s$ の範囲には，全体の約 95％ が含まれる
$m-3s<x<m+3s$ の範囲には，全体の約 99％ が含まれる

ことが知られています．

変動係数

早春の朝，公園の散歩は気持ちのいいものです．

いま，愛犬と散歩する3人の飼い主と犬（ダックスフント）の体重が，次のようであったとしましょう：

飼い主： 50 55 60 （kg）
愛 犬： 5.0 5.5 6.0 （kg）

このとき，飼い主の体重 x と，愛犬の体重 y の平均・標準偏差は，

$\bar{x}=55$ （kg），$\sigma(x)=5\sqrt{2/3}$ （kg）
$\bar{y}=5.5$ （kg），$\sigma(y)=0.5\sqrt{2/3}$ （kg）

第1章◎データの超整理法

となりますが,$\sigma(x)=5\sqrt{2/3}$ と $\sigma(y)=0.5\sqrt{2/3}$ を比較して〝飼い主の方が体重のバラツキが大きい！〟といえるでしょうか.

犬と飼い主とは,異なる集団ですから,単純に標準偏差の大小だけを比べても意味のあるものではありません.

そこで,二つの集団の規模格差を解消する意味で,

$$標準偏差 \div その集団の平均$$

というものを考えてみます：

$$\frac{\sigma(x)}{\bar{x}} = \frac{5\sqrt{2/3}\,\text{kg}}{55\,\text{kg}} = \frac{1}{11}\sqrt{\frac{2}{3}}, \quad \frac{\sigma(y)}{\bar{y}} = \frac{0.5\sqrt{2/3}\,\text{kg}}{5.5\,\text{kg}} = \frac{1}{11}\sqrt{\frac{2}{3}}$$

kg が約分されて,答えは,単位のない〝無名数〟になりますので,互いに比較できるのです.飼い主も犬も,平均体重の $(1/11)\sqrt{2/3}=7.4\%$ のバラツキがあることが分かります.

この $\sigma(x)/\bar{x}$ を,x の**変動係数**とよび,$Cv(x)$ と記します.

[**例**] あるクラスの数学の成績を,

優=3点,良=2点,可=1点,ダメ=0点

と点数化して,右の表を得た.得点 x の

平均 $\bar{x}$・モード $\tilde{x}_0$・メディアン $\tilde{x}$・

分散 $\sigma^2(x)$

を求めよ.

階級値	度数
0	7
1	22
2	9
3	2
計	40

解 度数分布表を拡大した次の表を作る：

階　級	階級値 x	度数 f	xf	x^2f	累計 F
〜0.5	0	7	0	0	7
0.5〜1.5	1	22	22	22	29
1.5〜2.5	2	9	18	36	38
2.5〜	3	2	6	18	40
計	—	40	46	76	—

この表から,

$$\bar{x} = \frac{1}{N}\sum_{k=1}^{n} x_k f_k = \frac{46}{40} = 1.15$$

$$\overline{x^2} = \frac{1}{N}\sum_{k=1}^{n} x_k^2 f_k = \frac{76}{40} = 1.90$$

ゆえに,

$$\begin{aligned}\sigma^2(x) &= \overline{x^2} - (\bar{x})^2 \\ &= 1.90 - 1.15^2 \\ &= 0.58\end{aligned}$$

> 分散 = 平方の平均 − 平均の平方

モード：$\tilde{x}_0 = 1$ （最多度数の階級値）

メディアン $\tilde{x}$ は, $\dfrac{N+1}{2} = \dfrac{40+1}{2} = 20.5$ 番目

のメンバーだから, 0.5〜1.5 の階級に属する.

　　階級上端 0.5 を, 7.5 番目のメンバー
　　階級下端 1.5 を, 29.5 番目のメンバー
と考えて, 右の図より,

$$\frac{\tilde{x} - 0.5}{20.5 - 7.5} = \frac{1.5 - 0.5}{29.5 - 7.5} \quad \therefore \quad \tilde{x} = 1.09$$

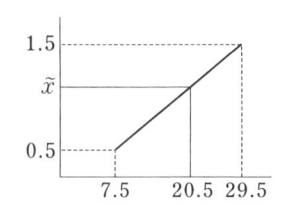

練習問題

1.2.1 次のデータ x について, 平均 $\bar{x}$, モード $M_o(x)$, メディアン $Me(x)$, 分散 $\sigma^2(x)$, 変動係数 $Cv(x)$ を求めよ.

　　　24, 28, 22, 27, 27, 35, 20, 24, 23

1.2.2 右の度数分布表で与えられるデータ x を考える. ただし, $k \geqq 1$, $m > 0$ とする.
 (1) 平均 $\bar{x}$ を求めよ.
 (2) 分散 $\sigma^2(x)$ を求めよ.
 (3) $|x_k - \bar{x}| < k\sigma(x)$
　　を満たす x_k の度数を求めよ.

階級値	度　数
0	$\dfrac{1}{2k^2}N$
m	$\left(1 - \dfrac{1}{k^2}\right)N$
$2m$	$\dfrac{1}{2k^2}N$
計	N

1.3. 二つの変量の関係を知る法

相関関係

若い高校生諸君のスポーツは，じつに爽やかなものですね．
次は，S北高校生の体力テストの結果の一部です：

右握力 (kg)	26	26	26	27	28	29	32	29	24	26
球投げ (m)	16	11	14	16	18	16	18	21	14	19
50m走 (秒)	8.5	8.4	8.9	9.1	8.0	9.8	8.6	7.9	8.5	9.4

ただし，これは，話を明快にするために，女子10名をアットランダムに抽出した記録です．

ところで，この記録表を見ただけでは，なかなか全体の状況がつかめませんね．そこで，下のような図にしてみましょう．このような図を**散布図**または**相関図**といいます．

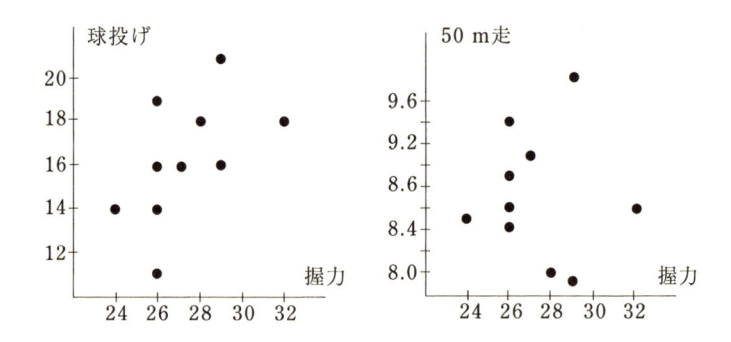

こうして図にかいてみると，全体状況がよく分かります．

握力が強いときは，おおむねボール投げも高記録の傾向が見てとれます．しかし，右の図で，握力と50m走では，そのような傾向はより希薄に見えますね．

このように，相関図において，変量 x と変量 y のあいだに，

x が増加するとき，y も増加の傾向　…　x, y は **正の相関**,
　　x が増加するとき，y は減少の傾向　…　x, y は **負の相関**,
にあるといい,
　　x, y は，このどちらでもないとき　…　x, y は **無 相 関**
であるといいます．これらは多分に感覚的なものです．たとえば,
　　正の相関　…　夫の年令と妻の年令
　　負の相関　…　M 大の学食，第一食堂・第二食堂の来客数
　　無 相 関　…　財産と寿命

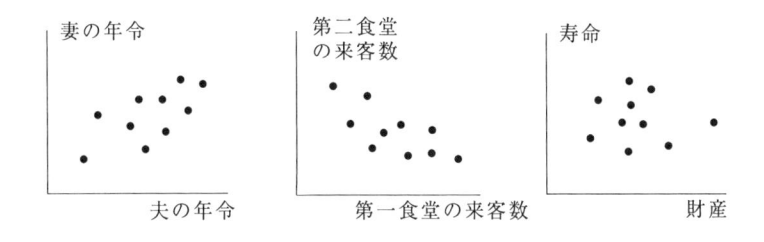

ゼロからゼミナール　相関関係と因果関係

　町内会の納涼盆踊りの参加者から，4 人をアットランダムに抽出して，簡単な算数の問題を解いてもらい，次の結果を得ました：

身長	112	133	160	165	(cm)
得点	0	4	8	10	(点)

　この結果は，身長と得点は強い正の**相関関係**を示していますが，"身長の高さは，知能の高さの**原因**だ" とはいえません．じつは，112 cm は幼稚園児，165 cm は大学生です．身長と得点のあいだに "年令" なるものが介在しているのです．

相関係数

前々ページの二つの相関図を見ると，左の〝握力と球投げ〟の方が，右の図よりいくぶん〝右上り〟に点が分布しているように見えます．

これは，〝握力と球投げの関係〟の方が〝握力と50m走の関係〟より強いことを示していると考えられますが，図からは，これ以上のことは分かりません．

そこで，二つの変量 x, y の関係の強弱を**数値化**することを考えましょう．これが〝相関係数〟とよばれるものです．

いま，二つの変量 x, y を考えましょう：

変量 x	x_1	x_2	$\cdots$	x_n
変量 y	y_1	y_2	$\cdots$	y_n

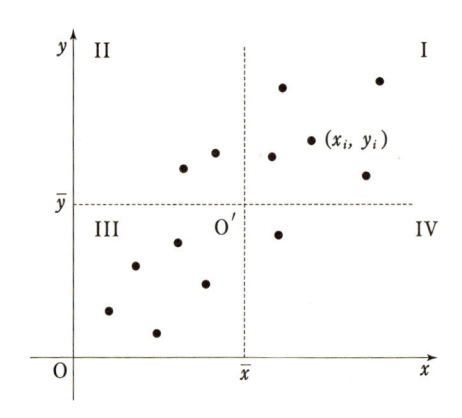

この相関図で，x, y の平均を座標とする点

$$O'(\bar{x}, \bar{y})$$

が，この相関図の中心と考えられます．この中心 O' を原点とする新しい点線の二つの座標軸を考えますと，Ⅰ, Ⅱ, Ⅲ, Ⅳ 象限が決まります．

変量 x, y に正の相関があるときは，大部分の点が，このⅠ象限かⅢ象限にありますから，

x が増加するとき，y も増加の傾向　…　x, y は **正の相関**，
x が増加するとき，y は減少の傾向　…　x, y は **負の相関**，
にあるといい，
x, y は，このどちらでもないとき　…　x, y は **無相関**
であるといいます．これらは多分に感覚的なものです．たとえば，

　　正の相関　…　夫の年令と妻の年令
　　負の相関　…　M大の学食，第一食堂・第二食堂の来客数
　　無相関　…　財産と寿命

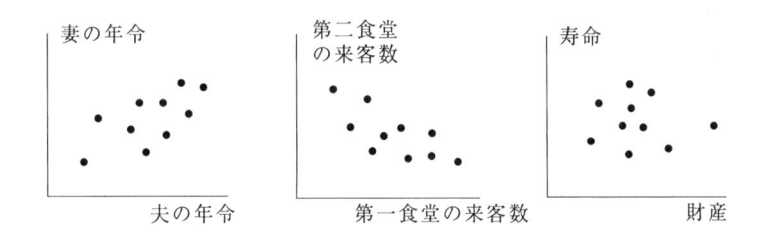

ゼロからゼミナール　相関関係と因果関係

町内会の納涼盆踊りの参加者から，4人をアットランダムに抽出して，簡単な算数の問題を解いてもらい，次の結果を得ました：

身長	112	133	160	165	（cm）
得点	0	4	8	10	（点）

この結果は，身長と得点は強い正の**相関関係**を示していますが，"身長の高さは，知能の高さの**原因**だ"とはいえません．じつは，112 cm は幼稚園児，165 cm は大学生です．身長と得点のあいだに "年令" なるものが介在しているのです．

第1章◎データの超整理法

相関係数

　前々ページの二つの相関図を見ると，左の〝握力と球投げ〟の方が，右の図よりいくぶん〝右上り〟に点が分布しているように見えます．

　これは，〝握力と球投げの関係〟の方が〝握力と50m走の関係〟より強いことを示していると考えられますが，図からは，これ以上のことは分かりません．

　そこで，二つの変量 x, y の関係の強弱を**数値化**することを考えましょう．これが〝相関係数〟とよばれるものです．

　いま，二つの変量 x, y を考えましょう：

変量 x	x_1	x_2	$\cdots$	x_n
変量 y	y_1	y_2	$\cdots$	y_n

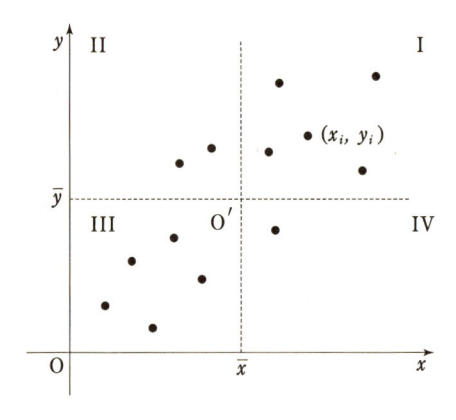

　この相関図で，x, y の平均を座標とする点

$$O'(\bar{x}, \bar{y})$$

が，この相関図の中心と考えられます．この中心 O' を原点とする新しい点線の二つの座標軸を考えますと，Ⅰ, Ⅱ, Ⅲ, Ⅳ 象限が決まります．

　変量 x, y に正の相関があるときは，大部分の点が，このⅠ象限かⅢ象限にありますから，

$$(x_k - \bar{x})(y_k - \bar{y}) > 0$$

が成り立ちます．

また，変量 x, y に負の相関があるときは，大部分の点が，

$$(x_k - \bar{x})(y_k - \bar{y}) < 0$$

を満たします．

したがって，変量 x, y の"相関の程度"は，これらの平均

$$C(x, y) = \frac{1}{N} \sum_{k=1}^{N} (x_k - \bar{x})(y_k - \bar{y})$$

を考えればよいでしょう．

しかし，この $C(x, y)$ は，x, y を測る単位に依存しますので，それぞれの標準偏差 $\sigma(x)$, $\sigma(y)$ で割った値

$$r(x, y) = \frac{1}{N} \sum_{k=1}^{N} \frac{x_k - \bar{x}}{\sigma(x)} \frac{y_k - \bar{y}}{\sigma(y)} = \frac{C(x, y)}{\sigma(x)\sigma(y)}$$

を考えることにします．これは，単位をもたない"無名数"になります．この $r(x, y)$ を，x と y の**相関係数**，$C(x, y)$ を**共分散**とよびます．

後で述べますが，相関係数 $r(x, y)$ の値は，つねに，

$$-1 \leq r(x, y) \leq 1$$

を満たし，1，−1 に近いほど相関の程度が強くなるのです．

相関係数の計算

相関係数の具体的な計算の準備を兼ねて，次の公式を証明しましょう：

◆ポイント ─────────────────── 共分散の公式 ─

$$C(x, y) = \frac{1}{N} \sum_{k=1}^{N} x_k y_k - \bar{x}\,\bar{y}$$

証明は，次のように，じつに簡単です：

$$C(x, y) = \frac{1}{N} \sum_{k=1}^{N} (x_k - \bar{x})(y_k - \bar{y})$$

$$= \frac{1}{N} \sum_{k=1}^{N} x_k y_k - \bar{x} \frac{1}{N} \sum_{k=1}^{N} y_k - \bar{y} \frac{1}{N} \sum_{k=1}^{N} x_k + \bar{x}\,\bar{y}$$

$$=\frac{1}{N}\sum_{k=1}^{N}x_k y_k - \bar{x}\,\bar{y}$$

それでは，本節冒頭のS北高生の体力テストについて，握力と球(ボール)投げの相関係数を計算してみましょう．

右握力 x	26	26	26	27	28	29	32	29	24	26
球投げ y	16	11	14	16	18	16	18	21	14	19

このデータから，次のような表を作ると便利です：

x	y	x^2	y^2	xy
26	16	676	256	416
26	11	676	121	286
26	14	676	196	364
27	16	729	256	432
28	18	784	324	504
29	16	841	256	464
32	18	1024	324	576
29	21	841	441	609
24	14	576	196	336
26	19	676	361	494
273	163	7499	2731	4481

そこで，

$$r(x,y)=\frac{C(x,y)}{\sigma(x)\sigma(y)}$$

$$=\frac{\frac{1}{N}\sum_{k=1}^{N}x_k y_k - \left(\frac{1}{N}\sum_{k=1}^{N}x_k\right)\left(\frac{1}{N}\sum_{k=1}^{N}y_k\right)}{\sqrt{\frac{1}{N}\sum_{k=1}^{N}x_k^2 - \left(\frac{1}{N}\sum_{k=1}^{N}x_k\right)^2}\sqrt{\frac{1}{N}\sum_{k=1}^{N}y_k^2 - \left(\frac{1}{N}\sum_{k=1}^{N}y_k\right)^2}}$$

$$= \frac{N\sum_{k=1}^{N} x_k y_k - \left(\sum_{k=1}^{N} x_k\right)\left(\sum_{k=1}^{N} y_k\right)}{\sqrt{\left\{N\sum_{k=1}^{N} x_k^2 - \left(\sum_{k=1}^{N} x_k\right)^2\right\}\left\{N\sum_{k=1}^{N} y_k^2 - \left(\sum_{k=1}^{N} y_k\right)^2\right\}}}$$

この公式を用いて,

$$r(x,y) = \frac{10 \times 4481 - 273 \times 163}{\sqrt{(10 \times 7499 - 273^2)(10 \times 2731 - 163^2)}} = 0.53$$

ゼロからゼミナール　相関係数とベクトルの交角

二つのベクトル $\boldsymbol{a}=(a_1, a_2)$, $\boldsymbol{b}=(b_1, b_2)$ の内積が,

$$(\boldsymbol{a}, \boldsymbol{b}) = a_1 b_1 + a_2 b_2 = |\boldsymbol{a}||\boldsymbol{b}|\cos\theta$$

で表わされることをご存じでしょうか. ここに, θ は $\boldsymbol{a}$, $\boldsymbol{b}$ の交角で,

$$|\boldsymbol{a}| = \sqrt{a_1^2 + a_2^2}, \ |\boldsymbol{b}| = \sqrt{b_1^2 + b_2^2}$$

は, $\boldsymbol{a}, \boldsymbol{b}$ の長さです.

いま, 変量 x, y を, ベクトル $\boldsymbol{x}=(x_1, x_2)$, $\boldsymbol{y}=(y_1, y_2)$ と見ますと, x, y の交角 θ は, x, y それぞれの偏差ベクトル

$$(x_1 - \bar{x}, x_2 - \bar{x}), (y_1 - \bar{y}, y_2 - \bar{y})$$

の交角を θ としますと,

$$\cos\theta = \frac{(\boldsymbol{a}, \boldsymbol{b})}{|\boldsymbol{a}||\boldsymbol{b}|} = \frac{(x_1 - \bar{x})(y_1 - \bar{y}) + (x_2 - \bar{x})(y_2 - \bar{y})}{\sqrt{(x_1 - \bar{x})^2 + (x_2 - \bar{x})^2}\sqrt{(y_1 - \bar{y})^2 + (y_2 - \bar{y})^2}}$$

$$= \frac{\frac{1}{2}((x_1 - \bar{x})(y_1 - \bar{y}) + (x_2 - \bar{x})(y_2 - \bar{y}))}{\sqrt{\frac{(x_1 - \bar{x})^2 + (x_2 - \bar{x})^2}{2}}\sqrt{\frac{(y_1 - \bar{y})^2 + (y_2 - \bar{y})^2}{2}}}$$

$$= \frac{C(x, y)}{\sigma(x)\sigma(y)}$$

ということで, 次が得られました.

$$\text{相関係数} = \cos\theta$$

回帰直線

二つの変量 x, y を考えます．

変量 x	x_1	x_2	$\cdots$	x_n
変量 y	y_1	y_2	$\cdots$	y_n

変量 x, y の相関図で，中心 $O'(\bar{x}, \bar{y})$ を通る直線
$$y = a(x - \bar{x}) + \bar{y}$$
のうち，N 個の点
$$P_1(x_1, y_1), P_2(x_2, y_2), \cdots, P_N(x_N, y_N)$$
に "一番近い" 直線を考えます．

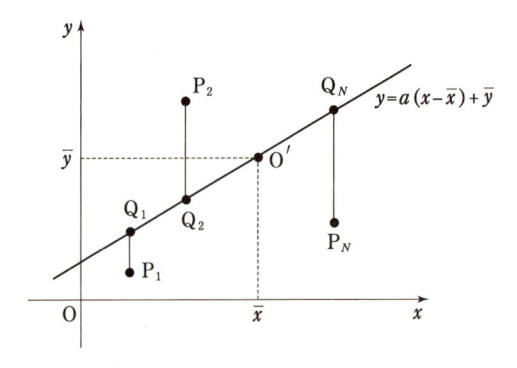

"一番近い" 直線というものを，図で，
$$S = \frac{1}{N}(P_1Q_1^2 + P_2Q_2^2 + \cdots + P_NQ_N^2)$$
を最小にするような直線だと考えましょう．各点の座標は，
$$P_k(x_k, y_k), \quad Q_k(x_k, a(x_k - \bar{x}) + \bar{y})$$
ですから，
$$\begin{aligned}P_kQ_k^2 &= (a(x_k - \bar{x}) - (y_k - \bar{y}))^2 \\ &= a^2(x_k - \bar{x})^2 - 2a(x_k - \bar{x})(y_k - \bar{y}) + (y_k - \bar{y})^2\end{aligned}$$
したがって，

$$S = \left(\frac{1}{N}\sum_{k=1}^{N}(x_k-\bar{x})^2\right)a^2 - \frac{2}{N}\sum_{k=1}^{N}(x_k-\bar{x})(y_k-\bar{y})a + \frac{1}{N}\sum_{k=1}^{N}(y_k-\bar{y})^2$$

$$= \sigma^2(x)a^2 - 2C(x,y)a + \sigma^2(y)$$

$$= \sigma^2(x)\left(a - \frac{C(x,y)}{\sigma^2(x)}\right)^2 + \sigma^2(y)\left\{1 - \left(\frac{C(x,y)}{\sigma(x)\sigma(y)}\right)^2\right\}$$

おなじみの〝a についての平方完成〟です.

この S は,

$$a = \frac{C(x,y)}{\sigma^2(x)}$$

のとき,最小値

$$S_0 = \sigma^2(y)\left\{1 - \left(\frac{C(x,y)}{\sigma(x)\sigma(y)}\right)^2\right\} = \sigma^2(y)(1 - r(x,y)^2)$$

をとります.S は平方和ですから,つねに $S \geq 0$ です.だから,最小値だって $S_0 \geq 0$ です.これから,

$$1 - r(x,y)^2 \geq 0$$

すなわち,次の大切な不等式が得られます:

$$-1 \leq r(x,y) \leq 1$$

また,相関図の中心 $O'(\bar{x},\bar{y})$ を通り,傾き $a = \dfrac{C(x,y)}{\sigma^2(x)}$ の直線

$$y = \frac{C(x,y)}{\sigma^2(x)}(x - \bar{x}) + \bar{y}$$

すなわち,形を整えて,

$$\frac{y-\bar{y}}{\sigma(y)} = r(x,y)\frac{x-\bar{x}}{\sigma(x)}$$

を,y の x への**回帰直線**といいます.

傾き $a = \dfrac{C(x,y)}{\sigma^2(x)}$ と $r(x,y) = \dfrac{C(x,y)}{\sigma(x)\sigma(y)}$ とは同符号ですから,相関係数が 1 に近くなると ($r(x,y) \to 1$),上の $S_0 \to 0$ となります.けっきょく,相関図のすべての点 $P_1, P_2, \cdots, P_N$ は,しだいに直線状に分布していきます.この直線が回帰直線なのです.

[**例**]　次のデータが与えられている：

変量 x	0	1	3	5	7	8
変量 y	2	6	7	10	8	9

（1）相関図（散布図）をかけ．
（2）共分散 $C(x,y)$，相関係数 $r(x,y)$ を求めよ．
（3）y の x への回帰直線・x の y への回帰直線を求めよ．

解　（1）相関図は，下図のようになる：

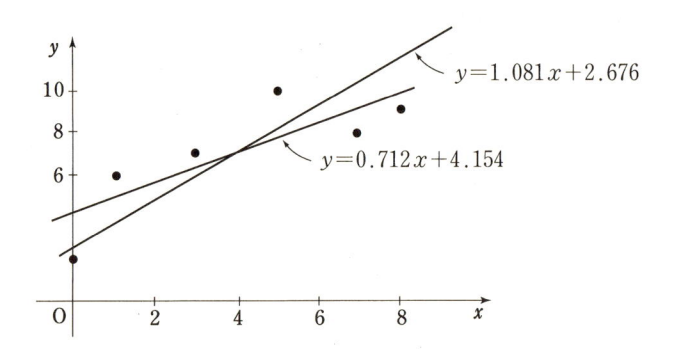

$y = 1.081x + 2.676$
$y = 0.712x + 4.154$

（2）次の表を作る：

x	y	x^2	y^2	xy
0	2	0	4	0
1	6	1	36	6
3	7	9	49	21
5	10	25	100	50
7	8	49	64	56
8	9	64	81	72
24	42	148	334	205

これから，

42

$$C(x,y) = \frac{1}{N}\sum_{k=1}^{N} x_k y_k - \frac{1}{N}\sum_{k=1}^{N} x_k \frac{1}{N}\sum_{k=1}^{N} y_k$$

$$= \frac{205}{6} - \frac{24}{6}\frac{42}{6} = \frac{37}{6} = 6.17$$

$$r(x,y) = \frac{N\sum xy - \sum x \cdot \sum y}{\sqrt{(N\sum x^2 - (\sum x)^2)(N\sum y^2 - (\sum y)^2)}}$$

$$= \frac{6 \times 205 - 24 \times 42}{\sqrt{(6 \times 148 - 24^2)(6 \times 334 - 42^2)}} = 0.81$$

(3) $\quad a = \dfrac{C(x,y)}{\sigma^2(x)} = \dfrac{\dfrac{1}{N}\sum xy - \dfrac{1}{N}\sum x \cdot \dfrac{1}{N}\sum y}{\dfrac{1}{N}\sum x^2 - \left(\dfrac{1}{N}\sum x\right)^2}$

$$= \frac{N\sum xy - \sum x \cdot \sum y}{N\sum x^2 - (\sum x)^2}　\blacktriangleleft$$ これを**公式**として用いてもよい

$$= \frac{6 \times 205 - 24 \times 42}{6 \times 148 - 24^2} = 0.712$$

$\bar{x}=4$, $\bar{y}=7$ だから, y の x への回帰直線は,
$$y = 0.712(x-4) + 7 \quad \therefore \quad y = 0.712x + 4.152$$
同様にして, x の y への回帰直線は,
$$x = 0.925(y-7) + 4 \quad \therefore \quad y = 1.081x + 2.676$$

▶**注** これら2本の回帰直線は, 一般には一致しません.

それでは, ここで用いた公式をまとめておきましょう:

◆ポイント ────── 公式（相関係数・回帰直線）

● **相関係数** $\quad r(x,y) = \dfrac{N\sum xy - \sum x \cdot \sum y}{\sqrt{(N\sum x^2 - (\sum x)^2)(N\sum y^2 - (\sum y)^2)}}$

● y の x への**回帰直線**

$$y - \bar{y} = a(x - \bar{x}), \quad a = \frac{N\sum xy - \sum x \cdot \sum y}{N\sum x^2 - (\sum x)^2}$$

ただし, N はデータサイズ, $\bar{x}$, $\bar{y}$ は, それぞれ, x, y の平均.

ゼロからゼミナール 相関係数を読む目

相関係数を計算で正確に求めることは大切です．と同時に，相関図（散布図）から相関係数を読みとれる目を養うことも大切なのです．料理の材料や荷物のおおよその重さを秤なしで見当がつけられるように．

ここにいろいろな相関係数の相関図を用意しました．感じをつかんで下さい．

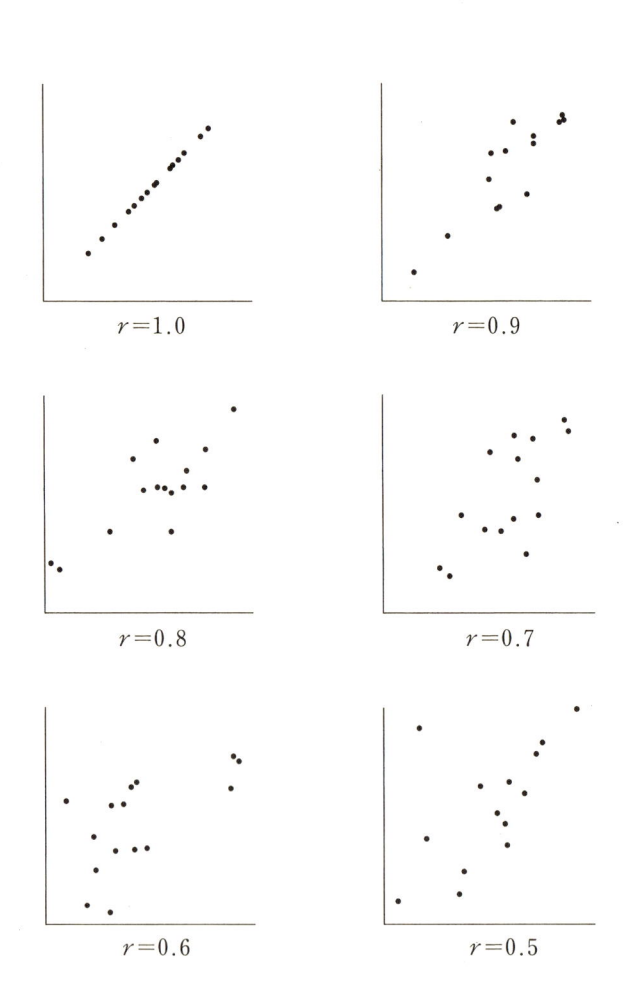

$r=1.0$

$r=0.9$

$r=0.8$

$r=0.7$

$r=0.6$

$r=0.5$

$r=0.4$　　　　　　　$r=0.3$

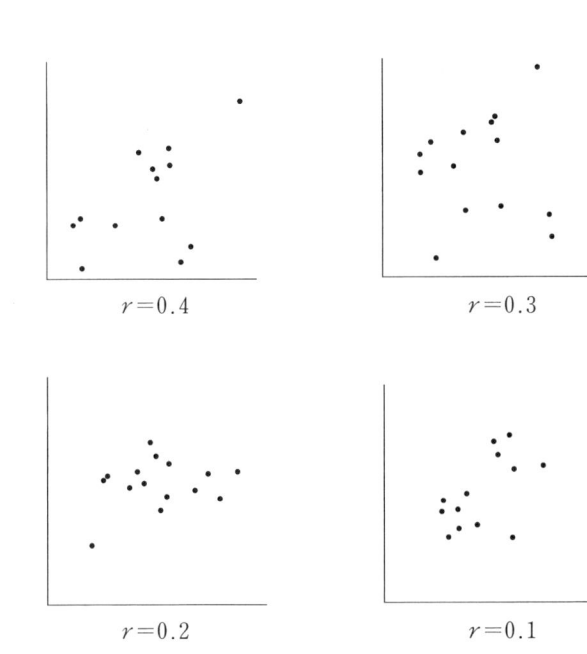

$r=0.2$　　　　　　　$r=0.1$

■■■■■ 練習問題 ■■■■■

1.3.1 次の表から，呼吸数と脈拍数の相関係数を求めよ．

呼吸数 x	21	23	23	22	26	20	29	26	28	26
脈拍数 y	68	69	66	74	74	63	80	79	73	68

1.3.2 次のデータから，相関係数・y の x への回帰直線・x の y への回帰直線を求めよ．

(1)
x	0	1	2	5
y	1	0	1	16

(2)
x	1	2	3	4	5
y	1	2	3	2	1

第 2 章
分布両道
——二項分布と正規分布

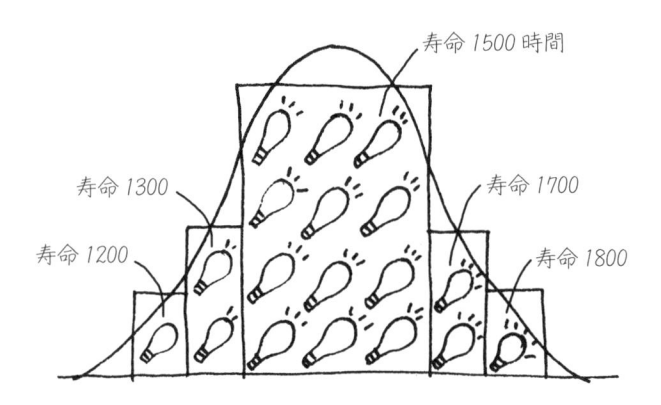

寿命 1500 時間
寿命 1300
寿命 1700
寿命 1200
寿命 1800

　いままで"データの整理"の仕方をお話ししてきました．
　データには，いろいろな個性があります．これが"分布"です．
　この章では，この分布についての一般的な規則・法則を扱います．
　さらに，自然現象・社会現象の典型的な分布として，

　　　　　　　　　二項分布　と　正規分布

を，くわしく説明しましょう．
　電話やテレビの細かい構造を知りつくさなくても，友人と電話で話せますし，楽しいビデオも撮れます．
　統計も同じなのです．
　確率分布の密度関数の難しい式に恐れる必要はありません．
　グラフの形と特徴を頭に入れておく —— これだけで十分です．

2.1. 気まぐれ変数を捕える法

確率変数

二つのサイコロを投げたとき，大きい方の目を X とします．たとえば，

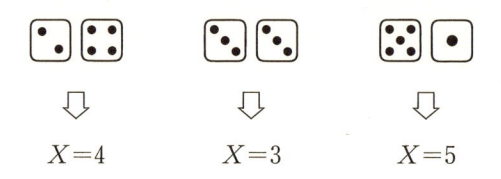

$X=4$　　　$X=3$　　　$X=5$

X の取る値は，$1,2,3,4,5,6$ だけです．

しかし，この6個の値ならば，自由にどの値にもなれるのか，といえば，そうは問屋が卸しません．

X の取る値は，二つのサイコロの目によって決まるのですから，偶然に支配されて決まる値です．

このような X を〝確率変数〟とよびます．

われわれが，ふつう，

$$関数 f(x) = x^2$$

などというとき，変数 x はどの値でも自由に取ることができますが，確率変数は，偶然によって値が決まる〝気まぐれ変数〟ですから，取りやすい値と取りにくい値とがあるわけです．

サイコロの二つの目と X の値を表にすると，下のようになります：

	⚀	⚁	⚂	⚃	⚄	⚅
⚀	1	2	3	4	5	6
⚁	2	2	3	4	5	6
⚂	3	3	3	4	5	6
⚃	4	4	4	4	5	6
⚄	5	5	5	5	5	6
⚅	6	6	6	6	6	6

たとえば，X が 3 という値を取る確率を考えてみましょう．

この確率を，$X=3$ となる確率といい，
$$P(X=3)$$
と記します．ちなみに，P は，Probability（確率）の頭文字です．

上の表の $6\times 6=36$ 通りの目の出方は，どれも同程度に期待されて，$X=3$ となるのは，5 通りですから，
$$P(X=3)=\frac{5}{36}$$
となります．確率変数 X の正体は，
$$P(X=1),\ P(X=2),\ \cdots,\ P(X=6)$$
のすべての値によって決まります．これを表にまとめることがあります：

X	1	2	3	4	5	6
P	$\dfrac{1}{36}$	$\dfrac{3}{36}$	$\dfrac{5}{36}$	$\dfrac{7}{36}$	$\dfrac{9}{36}$	$\dfrac{11}{36}$

別の例を挙げましょう．

いま，一つのサイコロを，1 の目 ⊡ が出るまで投げ続けるとして，サイコロを投げて X 回目にはじめて ⊡ が出たとします．

このとき，X の取り得る値は，$1,2,3,\cdots$ という無限個の整数です．

$X=k$ となるのは，1 回目，2 回目，$\cdots$，$k-1$ 回目までは，⊡ 以外の目が出て，k 回目にはじめて ⊡ が出るということですから，
$$P(X=k)=\underbrace{\frac{5}{6}\times \frac{5}{6}\times \cdots \times \frac{5}{6}}_{k-1}\times \frac{1}{6}=\frac{1}{6}\left(\frac{5}{6}\right)^{k-1}$$

もう一つ例を挙げます．

ルーレットを回して，はじめの位置から X 度（$0\leqq X<360$）のところで止まったとしますと，X の取り得る値は，$0\leqq x<360$ の範囲のすべての実数です．

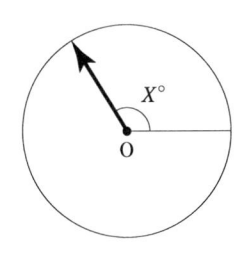

第 2 章◎分布両道——二項分布と正規分布

針の止まる位置は，円周上のどの点も同様に確からしいと考えられますから，X が $a \leq X < b$ という値を取る確率は，区間の幅 $b-a$ に比例することになります．全円周は360度ですから，

$$P(a \leq X < b) = \frac{b-a}{360}$$

いま，三つの典型的な例を見てきましたが，このように，$X=k$ となる確率 $P(X=k)$ や，$a \leq X < b$ となる確率 $P(a \leq X < b)$ が決まっている変数 X を**確率変数**といいます．

はじめの二つの例のように，X の取り得る値の全体が，

　　　有限集合 $\{x_1, x_2, \cdots, x_n\}$
　　　ポツポツ無限集合 $\{x_1, x_2, \cdots, x_k, \cdots\}$

のとき，X を**離散的**確率変数といい，実数の区間のような

　　　ベッタリ無限集合 $\{x \mid a \leq x < b\}$

のとき，X を**連続的**確率変数といいます．例を挙げましょう：

　　　離散的　…　宝くじの賞金額，
　　　連続的　…　ある地方の小学生の身長

確率分布

一般に，X を $x_1, x_2, \cdots, x_k, \cdots$ という値を取る離散的確率変数としましょう．このとき，各 x_k について，$P(X=x_k) = p_k$ が決まっているのですが，これを次のような表にすることがあります：

X	x_1	x_2	$\cdots$	x_k	$\cdots$	計
P	p_1	p_2	$\cdots$	p_k	$\cdots$	1

この表を X の**確率分布表**ということがあります．
また，$P(X=x_k) = p_k$ は x_k の関数ですから，

$$f(x_k) = P(X=x_k) \quad (k=1, 2, \cdots)$$

とおき，関数 $f(x)$ を X の**確率関数**とよびます．
次は，X が連続的な場合です．

たとえば，先ほどのルーレットの例を思い出して下さい．

この場合，たとえば，針がキッカリ60度を指す確率は，じつは，"直線上の1点の長さ(大きさ)は0"と同じ発想で，
$$P(X=60)=0$$
です．X が連続的な場合，取り得る値がベッタリ無限集合ですから，X が1点 a という値を取る確率が $P(X=a) \neq 0$ ですと，すべての確率の合計が $+\infty$ になってしまうからです．

ですから，X が連続的な場合は，$P(X=a)$ ではなく，
$$P(a \leq X < b)$$
という X の取る値が区間 $a \leq x < b$ に入る確率を問題にします．

連続的確率変数 X に対して，つねに，$f(x) \geq 0$ であって，
$$P(a \leq X < b) = 「曲線 y=f(x)，x軸，2直線 x=a，x=b」の囲む面積$$

この面積が，$P(a \leq X < b)$

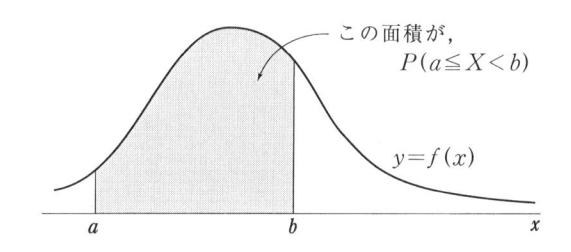

$y=f(x)$

となるような関数 $f(x)$ を，X の**確率密度関数**または単に**密度関数**といいます．一般に，確率関数・密度関数を X の**(確率)分布**と総称します．

たとえば，先ほどのルーレットの例で，X の密度関数は，
$$f(x) = \begin{cases} \dfrac{1}{360} & (0 \leq x < 360) \\ 0 & (その他) \end{cases}$$

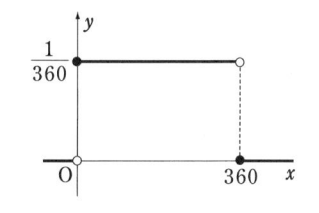

▶注　連続的な X について，1点 a の確率は，$P(X=a)=0$ ですから，
$$P(a \leq X < b) = P(a \leq X \leq b) = P(a < X < b)$$
のように，端の "$=$"（イコール）は，あってもなくても同じです．

ゼロからゼミナール　ポツポツ・ベッタリ

離散的・連続的の違いは，ポツポツとベッタリです．
たとえば，和の計算でいいますと，

　　ポツポツ加えるのが — Σ（和）
　　ベッタリ加えるのが — ∫（積分）

で，どちらも本質的に同じものなのです．

毎月ポツポツと預金　　　時々刻々ベッタリ溜まる

離散的も連続的も本質的に同じものですから，この本では，主として，離散的な場合について述べることにします．

期待値（平均値）

いま，外れなしの右のようなくじがあったとしましょう．

このくじを1本引いたとき，いくらの賞金が期待できるでしょうか？
賞金総額は，

　10000× 1 ＝ 10000（円）
　 2000× 9 ＝ 18000
　　500×90 ＝ 45000
　―――――――――――――
　　　計　　　73000（円）

ゼロから大福くじ		
1等	10000 円	1本
2等	2000	9
3等	500	90
合　計		100本

ですから，1本あたりの平均金額
$$73000 \times \frac{1}{100} = 730 \text{ (円)}$$
を，くじ1本引いたときの期待金額と考えてよいでしょう．

これは，あらためて考えますと，次のように計算したものです：
$$\frac{1}{100}\{(10000 \times 1) + (2000 \times 9) + (500 \times 90)\}$$
$$= \left(10000 \times \frac{1}{100}\right) + \left(2000 \times \frac{9}{100}\right) + \left(500 \times \frac{90}{100}\right)$$

この式をよく見ると，
(賞金額×その確率)の総和
になっています．

ちなみに，このくじを1本引いたときの賞金を X 円としますと，X の確率分布(表)は，右のようになります．

X	10000	2000	500	計
P	$\frac{1}{100}$	$\frac{9}{100}$	$\frac{90}{100}$	1

以上を次のように一般化します：

■ポイント ──────────────── 期待値

右のような確率変数 X について，

$$E(X) = \sum_k x_k p_k$$

を，X の**期待値**または**平均値**という．ただし，$p_k = P(X = x_k)$．

X	x_1	x_2	$\cdots$	計
P	p_1	p_2	$\cdots$	1

▶注1　この $\sum_k x_k p_k$ は，

　　X の取る値が有限個のとき：$x_1 p_1 + x_2 p_2 + \cdots + x_n p_n$

　　X の取る値が無限個のとき：$x_1 p_1 + x_2 p_2 + \cdots + x_n p_n + \cdots$

　を表わします．

　2　$E(X)$ の E は，Expectation (期待値) の頭文字．

[**例**] 二つのサイコロを投げたとき，大きい方の目の数 X の期待値を求めよ．

解 X の確率分布は，

X	1	2	3	4	5	6	計
P	$\frac{1}{36}$	$\frac{3}{36}$	$\frac{5}{36}$	$\frac{7}{36}$	$\frac{9}{36}$	$\frac{11}{36}$	1

したがって，X の期待値は，

$$E(X) = \left(1 \times \frac{1}{36}\right) + \left(2 \times \frac{3}{36}\right) + \left(3 \times \frac{5}{36}\right)$$
$$+ \left(4 \times \frac{7}{36}\right) + \left(5 \times \frac{9}{36}\right) + \left(6 \times \frac{11}{36}\right) = \frac{161}{36} \quad \square$$

いま，X の期待値 $E(X)$ を考えましたが，さらに，たとえば，
$$aX+b, \quad (X-a)^2$$
のような "X の関数" の期待値，一般に X の関数 $g(X)$ の期待値を考えましょう．$g(X)$ の期待値を，次のように定義します：

$$E(g(X)) = \sum_k g(x_k) p_k$$

$g(X)$	$g(x_1)$	$g(x_2)$	$\cdots$	計
P	p_1	p_2	$\cdots$	1

ただし，$p_k = P(X = x_k)$.
たとえば，

$$E(aX+b) = \sum_k (ax_k + b) p_k,$$
$$E((X-a)^2) = \sum_k (x_k - a)^2 p_k$$

分散・標準偏差

度数分布の場合に対応して，次のように定義します：

■**ポイント** — — — — — — — — — — **分散・標準偏差**

確率変数 X の期待値を $E(X) = \mu$ とおくとき，
$$V(X) = E((X - \mu)^2) \quad \text{を，X の\textbf{分散}}$$
$$\sigma(X) = \sqrt{V(X)} \quad \text{を，X の\textbf{標準偏差}}$$
とよぶ．

Σ を用いてかけば，次のようになります：

$$V(X)=\sum_k (x_k-\mu)^2 p_k$$

ただし，$p_k=P(X=x_k)$.

▶注 μ は，m に対応するギリシア文字で，ミューと読みます．

[例] 2枚の硬貨を投げたときの表の枚数 X の期待値・分散を求めよ．

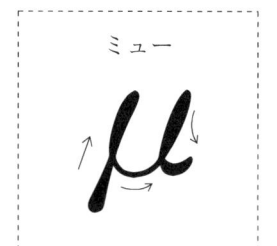

解 次の4通りは，どれも同程度に確からしい：

(表,表)，(表,裏)，(裏,表)，(裏,裏)

したがって，X の確率分布は，右のようになる．

X	0	1	2	計
P	$\frac{1}{4}$	$\frac{2}{4}$	$\frac{1}{4}$	1

ゆえに，求める X の期待値・分散は，

$$E(X)=\left(0\times\frac{1}{4}\right)+\left(1\times\frac{2}{4}\right)+\left(2\times\frac{1}{4}\right)=1$$

$$V(X)=(0-1)^2\times\frac{1}{4}+(1-1)^2\times\frac{2}{4}+(2-1)^2\times\frac{1}{4}=\frac{1}{2} \quad \square$$

ここで，期待値・分散の大切な性質をまとめておきましょう．

◆ポイント ──────── **期待値・分散の基本性質**

(1) $E(aX+b)=aE(X)+b$

(2) $V(X)=E(X^2)-E(X)^2$ ［期待値・分散の平方関係］

(3) $V(aX+b)=a^2V(X)$

証明 X の確率分布を右のようだとする．

X	x_1	x_2	$\cdots$	計
P	p_1	p_2	$\cdots$	1

(1) Σ の性質を用いて，

$$E(aX+b)=\sum_k (ax_k+b)p_k$$
$$=a\sum_k x_k p_k + b\sum_k p_k$$

$$= aE(X) + b \quad [\because \sum_k p_k = 1]$$

（2） $E(X) = \mu$ とおき，（1）の性質を用いると，
$$V(X) = E((X-\mu)^2)$$
$$= E(X^2 - 2\mu X + \mu^2)$$
$$= E(X^2) - 2\mu E(X) + \mu^2$$
$$= E(X^2) - 2E(X)E(X) + E(X)^2$$
$$= E(X^2) - E(X)^2$$

（3） $E(X) = \mu$ とおけば，
$$E(aX+b) = a\mu + b$$
だから，
$$V(aX+b) = E[((aX+b)-(a\mu+b))^2]$$
$$= E(a^2(X-\mu)^2)$$
$$= a^2 E((X-\mu)^2)$$
$$= a^2 V(X)$$

ゼロからゼミナール　絶対に損しない賭（かけ）

硬貨を投げて，k 回目にはじめて表が出たら 2^k 円受け取る，という賭（ペテルスブルグの賭）の期待金額は，いくらでしょうか．

受け取る金額 X の確率分布は右のようになりますから，

X	2^1	2^2	2^3	…	計
P	$\frac{1}{2^1}$	$\frac{1}{2^2}$	$\frac{1}{2^3}$	…	1

$$E(X) = \left(2^1 \times \frac{1}{2^1}\right) + \left(2^2 \times \frac{1}{2^2}\right) + \cdots = 1 + 1 + \cdots = +\infty$$

期待金額が無限大だから，いくら賭けてもソンはないぞ，と1回目に1万円賭けて"裏裏表"と出て $2^3 = 8$ 円いただく，また2回目に，1万円払って…．これでも，やはり**損のない賭**なのです．ただし，あなたに**無限大の資金**があればの話ですが．

期待値・分散が $+\infty$ の分布では，普通の意味での期待値・分散のイメージは成立しません．

[例] 一つのサイコロを投げたとき，出た目の数を 4 で割った余り X の期待値 $E(X)$ と分散 $V(X)$ を求めよ．

解 出た目の数と X の値，および X の確率分布は，下表のようになる：

出た目	⚀	⚁	⚂	⚃	⚄	⚅
X	1	2	3	0	1	2

X	0	1	2	3	計
P	$\frac{1}{6}$	$\frac{2}{6}$	$\frac{2}{6}$	$\frac{1}{6}$	1

このとき，
$$E(X) = \left(0 \times \frac{1}{6}\right) + \left(1 \times \frac{2}{6}\right) + \left(2 \times \frac{2}{6}\right) + \left(3 \times \frac{1}{6}\right) = \frac{3}{2}$$
$$E(X^2) = \left(0^2 \times \frac{1}{6}\right) + \left(1^2 \times \frac{2}{6}\right) + \left(2^2 \times \frac{2}{6}\right) + \left(3^2 \times \frac{1}{6}\right) = \frac{19}{6}$$

ゆえに，
$$V(X) = E(X^2) - E(X)^2$$
$$= \frac{19}{6} - \left(\frac{3}{2}\right)^2$$
$$= \frac{11}{12}$$

> 分　散
> （平方の平均）－（平均の平方）

□

━━━━ **練習問題** ━━━━

2.1.1 二つのサイコロを投げたときの大きい方の目の数 X の分散 $V(X)$ を求めよ．

2.1.2 $E(X) = \mu$, $V(X) = \sigma^2$ $(\sigma > 0)$
のとき，$Y = \dfrac{X - \mu}{\sigma}$ の期待値 $E(Y)$・分散 $V(Y)$ を求めよ．

2.2. 気まぐれ変数のペア

同時確率変数

数字1を記入したカード3枚・数字2を記入したカード1枚，計4枚のカードから，無作為に最初に引いたカードの数字を X，これをもどさずに次に引いたカードの数字を Y とします．

このとき，X, Y をペアにして考えた (X, Y) という形を，**同時確率変数または2次元確率変数**といいます．"確率ベクトル"などといって読者をビックリさせる人もおりますが，わたくしは，そういうことはいたしません．おだやかに，同時確率変数と申します．もちろん，

X の取る値：1, 2　　　Y の取る値：1, 2

たとえば，"$X=1$, $Y=2$"となる確率は，

$$P(X=1, Y=2) = \frac{3}{4} \cdot \frac{1}{3}$$

他のすべての場合も含めて，表にしますと，

X \ Y	1	2	計
1	$\frac{3}{4} \cdot \frac{2}{3}$	$\frac{3}{4} \cdot \frac{1}{3}$	$\frac{9}{12}$
2	$\frac{1}{4} \cdot \frac{3}{3}$	$\frac{1}{4} \cdot 0$	$\frac{3}{12}$
計	$\frac{9}{12}$	$\frac{3}{12}$	1

一般に，離散的確率変数 X，Y に対して，
$$f(x_i, y_j) = P(X=x_i, Y=y_j) \quad (i=1,2,\cdots; j=1,2,\cdots)$$
となる2変数関数 $f(x,y)$ を，同時確率変数 (X, Y) の**同時確率関数**または単に**確率関数**とよびます．これを，次のような表で表わして，**同時確率分布表**とよぶことがあります：

$X \diagdown Y$	y_1	y_2	$\cdots$	計
x_1	p_{11}	p_{12}	$\cdots$	$p_{1\bullet}$
x_2	p_{21}	p_{22}	$\cdots$	$p_{2\bullet}$
$\vdots$	$\vdots$	$\vdots$	$\cdots$	$\vdots$
計	$p_{\bullet 1}$	$p_{\bullet 2}$	$\cdots$	1

このとき，さらに，
$$f_1(x_i) = P(X=x_i) = p_{i1} + p_{i2} + \cdots = p_{i\bullet}$$
$$f_2(y_j) = P(Y=y_j) = p_{1j} + p_{2j} + \cdots = p_{\bullet j}$$
となる関数 $f_1(x)$ を X の**周辺確率関数**，$f_2(y)$ を Y の周辺確率関数といいます．

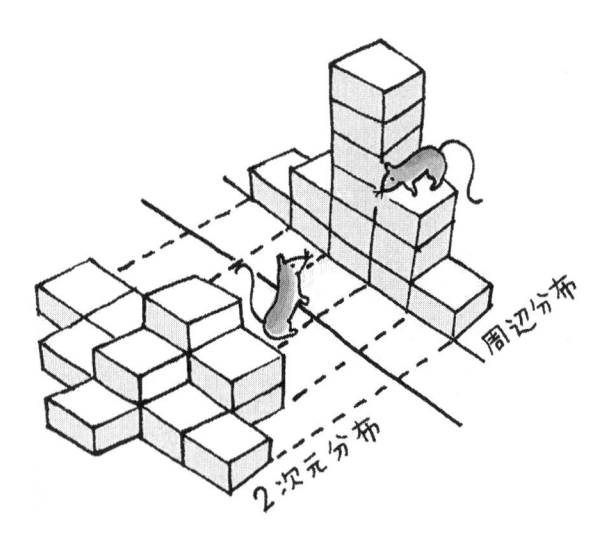

また，X，Y が連続的な場合は，次のようになります：
曲面 $z=f(x,y)$ と xy 平面との囲む立体の
$$a \leq x \leq b, c \leq y \leq d$$
の食パンのような部分の体積が，
$$P(a \leq X \leq b, c \leq Y \leq d)$$
になっているような関数
$$f(x,y) \geq 0$$
を，(X,Y) の**同時密度関数**とよびます．

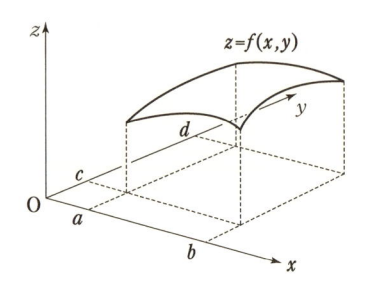

確率変数の独立性

大学の学生の身長 X と体重 Y とは独立ではないけれども，身長 X と英語の得点 Y とは，常識的に考えても〝独立〟でしょう．

この〝独立〟という言葉を日常語として〝無関係〟というほどの意味に使いましたが，数学用語としてキチンと考えておきたいのです．

これは〝なが四角〟という日常語を〝長方形〟という数学用語として正確に定義するのと同様の作業であります．

いま，X，Y という確率変数を考えます．
$$X \text{ は，} x_1, x_2, \cdots\cdots \text{ という値を取り}$$
$$Y \text{ は，} y_1, y_2, \cdots\cdots \text{ という値を取る}$$
としましょう．

X，Y が独立だということは，すべての x_i，y_j について，
$$X=x_i \text{ となることと，} Y=y_j \text{ となることが独立}$$
ということです．

これは，いったいどういうことでしょうか．それは，けっきょく，
$$X=x_i \text{ であろうとなかろうと，} Y=y_j \text{ となる確率は変わらない}$$
ことだと考えてよいでしょう．すなわち，

$X=x_i$ のとき $Y=y_j$ となる確率 ⎫
$X \neq x_i$ のとき $Y=y_j$ となる確率 ⎭ が，等しい

ということです．

これらの二つの確率を計算するために，各場合の数を次の表のようだとしましょう：

	$Y=y_j$	$Y \neq y_j$	計
$X=x_i$	a 通り	b 通り	$a+b$ 通り
$X \neq x_i$	c 通り	d 通り	$c+d$ 通り
計	$a+c$ 通り	$b+d$ 通り	N

もちろん，$N=a+b+c+d$ 通りのそれぞれは，**同様に確からしい**とするのです．このとき，明らかに，

$$P(X=x_i)=\frac{a+b}{N}, \quad P(X=x_i, Y=y_j)=\frac{a}{N}$$

また，"$X=x_i$ であるとき，$Y=y_j$ となる" 確率は，

$$\frac{a}{a+b}=\frac{\frac{a}{N}}{\frac{a+b}{N}}=\frac{P(X=x_i, Y=y_j)}{P(X=x_i)} \quad \cdots\cdots\cdots\cdots\cdots\cdots ①$$

となります．同様に "$X \neq x_i$ であるとき，$Y=y_j$ となる" 確率は，

$$\frac{c}{c+d}=\frac{(a+c)-a}{N-(a+b)}=\frac{\frac{a+c}{N}-\frac{a}{N}}{1-\frac{a+b}{N}}$$

$$=\frac{P(Y=y_j)-P(X=x_i, Y=y_j)}{1-P(X=x_i)} \quad \cdots\cdots\cdots ②$$

この確率①，②が等しいのですから，

$$\frac{P(X=x_i, Y=y_j)}{P(X=x_i)}=\frac{P(Y=y_j)-P(X=x_i, Y=y_j)}{1-P(X=x_i)}$$

この式から，

$$P(X=x_i, Y=y_j)(1-P(X=x_i))$$
$$=P(X=x_i)(P(Y=y_j)-P(X=x_i, Y=y_j))$$

展開して整理しますと，じつに，次のキレイな式が得られます：
$$P(X=x_i, Y=y_j) = P(X=x_i)P(Y=y_j)$$
この式は，(X, Y) の同時確率関数が周辺確率関数の積になっていることを示しています：
$$f(x, y) = f_1(x) f_2(y)$$
連続的な場合でいえば，

同時密度関数 ＝ 周辺密度関数の積

ということです．

この式の意味をもう少し考えてみましょう．

いま，同時密度関数 $f(x, y)$ の $x=a$ による切り口を考えますと，
$$f(a, y) = f_1(a) f_2(y) = A f_2(y)$$
のように，周辺密度関数 $f_2(y)$ の**定数倍**になっている！のです．

すなわち，Y の確率分布と同じ形（上下に拡大縮小した形）になっているのです．

たとえば，身長170cmの学生の得点分布と身長180cmの学生の得点分布が"同じ形"になっている，ということです．

これが，"身長と得点とは独立"ということの意味であります．

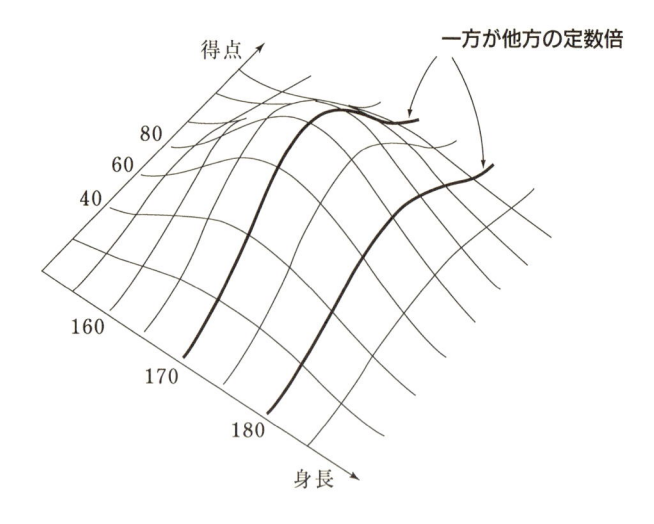

同時確率変数の場合でも，確率関数・密度関数を，**同時確率分布**または長いので単に**分布**と総称します．

■ポイント ──────────────────── **確率変数の独立性** ─

(X, Y) の確率分布 $f(x, y)$ が，周辺分布 $f_1(x), f_2(y)$ の積になっているとき，X, Y は**独立**であるという：
$$f(x, y) = f_1(x) f_2(y)$$
(1) 離散的：$P(X = x_i, Y = y_j) = P(X = x_i) P(Y = y_j)$
(2) 連続的：$f(x, y) = f_1(x) f_2(y)$

▶注 $X_1, X_2, \cdots, X_n$ のどの一部 $X_{k_1}, \cdots, X_{k_m} (m \leq n)$ についても，
$$P(X_{k_1} = x_{k_1}, \cdots, X_{k_m} = x_{k_m}) = P(X_{k_1} = x_{k_1}) \cdots P(X_{k_m} = x_{k_m})$$
が成立するとき，$X_1, X_2, \cdots, X_n$ は**独立**であるといいます．

[例] 1個のサイコロと1枚の硬貨を投げるとして
$$X = \begin{cases} 1 & (\text{⊡ が出る}) \\ 0 & (\text{⊡ 以外が出る}) \end{cases}, \quad Y = \begin{cases} 1 & (\text{表が出る}) \\ 0 & (\text{裏が出る}) \end{cases}$$
とするとき，
(1) (X, Y) の確率分布，X, Y の周辺分布を求めよ．
(2) X, Y は，独立か．

解 (1) それぞれ，次のようになる：

X \ Y	0	1	計
0	5/12	5/12	5/6
1	1/12	1/12	1/6
計	1/2	1/2	1

X	0	1	計
P	5/6	1/6	1

Y	0	1	計
P	1/2	1/2	1

(2) 上の表から，たとえば，
$P(X = 0, Y = 0) = 5/12$
$P(X = 0) P(Y = 0) = 5/6 \times 1/2 = 5/12$
∴ $P(X = 0, Y = 0) = P(X = 0) P(Y = 0)$
他の場合もすべて同様の等式が成立するから，X, Y は独立． □

同時確率変数の期待値・分散

$X+3Y$ とか X^2+Y^2 のような X, Y の関数 $g(X, Y)$ の期待値・分散を次のように定義します：

---**■ポイント**─────────────**期待値・分散**---

(X, Y) の関数 $g(X, Y)$ の期待値・分散を次のように定義する：

$$E(g(X, Y)) = \sum_i \sum_j g(x_i, y_j) P(X=x_i, Y=y_j)$$

$$V(g(X, Y)) = E[(g(X, Y) - E(g(X, Y)))^2]$$

[**例**] 数字1を記入したカード3枚・数字2を記入したカード1枚，計4枚のカードから，無作為に最初に引いたカードの数字を X，これをもどさずに次に引いたカードの数字を Y とするとき，積 XY の期待値 $E(XY)$・分散 $V(XY)$ を求めよ．

解 (X, Y) の同時確率分布は，下の表のようになる：

X \ Y	1	2	計
1	2/4	1/4	3/4
2	1/4	0	1/4
計	3/4	1/4	1

> 誤記にご注意！
> ○ 同**時確率**分布
> × 同**次確立**分布

したがって，

$$E(XY) = \left(1 \times 1 \times \frac{2}{4}\right) + \left(1 \times 2 \times \frac{1}{4}\right) + \left(2 \times 1 \times \frac{1}{4}\right) + \left(2 \times 2 \times 0\right)$$

$$= \frac{3}{2}$$

$$V(XY) = E[(XY - E(XY))^2] = E\left[\left(XY - \frac{3}{2}\right)^2\right]$$

$$= \left(1 \times 1 - \frac{3}{2}\right)^2 \times \frac{2}{4} + \left(1 \times 2 - \frac{3}{2}\right)^2 \times \frac{1}{4}$$

$$+ \left(2 \times 1 - \frac{3}{2}\right)^2 \times \frac{1}{4} + \left(2 \times 2 - \frac{3}{2}\right)^2 \times 0 = \frac{1}{4} \quad \square$$

期待値・分散の定義から，次の大切な性質が得られます：

◆ポイント —————————— **期待値・分散の基本性質**

(1) $E(aX+bY)=aE(X)+bE(Y)$
(2) $X, Y:$ 独立 $\Longrightarrow E(XY)=E(X)E(Y)$
(3) $X, Y:$ 独立 $\Longrightarrow V(aX+bY)=a^2V(X)+b^2V(Y)$

証明 (X, Y) の確率分布を次のようであるとする：

$X \backslash Y$	y_1	y_2	$\cdots$	計
x_1	p_{11}	p_{12}	$\cdots$	$p_{1\bullet}$
x_2	p_{21}	p_{22}	$\cdots$	$p_{2\bullet}$
$\vdots$	$\vdots$	$\vdots$		$\vdots$
計	$p_{\bullet 1}$	$p_{\bullet 2}$	$\cdots$	1

(1) $E(aX+bY)=\sum_i \sum_j (ax_i+by_j)p_{ij}$

$$=\sum_i \sum_j ax_i p_{ij}+\sum_i \sum_j by_j p_{ij}$$

$$=a\sum_i x_i \left(\sum_j p_{ij}\right)+b\sum_j y_j \left(\sum_i p_{ij}\right)$$

$$=a\sum_i x_i p_{i\bullet}+b\sum_j y_j p_{\bullet j}$$

$$=aE(X)+bE(Y)$$

(2) $X, Y:$ 独立 $\Longleftrightarrow p_{ij}=p_{i\bullet}\times p_{\bullet j}$

だから，

$$E(XY)=\sum_i \sum_j x_i y_j p_{ij}=\sum_i \sum_j x_i y_j p_{i\bullet}p_{\bullet j}$$

$$=\left(\sum_i x_i p_{i\bullet}\right)\left(\sum_j y_j p_{\bullet j}\right)=E(X)E(Y)$$

(3) $V(aX+bY)=E[((aX+bY)-E(aX+bY))^2]$

$$= E[(a(X-E(X))+b(Y-E(Y)))^2]$$
$$= a^2 E[(X-E(X))^2]+b^2 E[(Y-E(Y))^2]$$
$$\quad +2abE[(X-E(X))(Y-E(Y))]$$
$$= a^2 V(X)+b^2 V(Y)+2ab(E[XY]-E[X]E[Y])$$

X, Y が独立だから，(2) より，$E[XY]=E[X]E[Y]$ となるので，
$$V(aX+bY)=a^2 V(X)+b^2 V(Y) \qquad \square$$

これらの性質は，n 個の場合について，次のように一般化されます：

1° $E(a_1 X_1+\cdots+a_n X_n)=a_1 E(X_1)+\cdots+a_n E(X_n)$

2° $X_1, X_2, \cdots, X_n$ が独立ならば，
$$V(a_1 X_1+\cdots+a_n X_n)=a_1^2 V(X_1)+\cdots+a_n^2 V(X_n)$$

いま，とくに，$X_1, X_2, \cdots, X_n$ が独立で，すべて，期待値 μ，分散 σ^2 の同一分布に従い，さらに，
$$a_1=a_2=\cdots=a_n=\frac{1}{n}$$
の場合を考えますと，
$$E(X_1)=E(X_2)=\cdots=E(X_n)=\mu$$
$$V(X_1)=V(X_2)=\cdots=V(X_n)=\sigma^2$$
ですから，上の **1°**，**2°** は，次のようになります：
$$E\left(\frac{1}{n}X_1+\frac{1}{n}X_2+\cdots+\frac{1}{n}X_n\right)=\frac{1}{n}\mu+\frac{1}{n}\mu+\cdots+\frac{1}{n}\mu=\mu$$
$$V\left(\frac{1}{n}X_1+\frac{1}{n}X_2+\cdots+\frac{1}{n}X_n\right)=\frac{1}{n^2}\sigma^2+\frac{1}{n^2}\sigma^2+\cdots+\frac{1}{n^2}\sigma^2=\frac{\sigma^2}{n}$$
ここで，
$$\bar{X}=\frac{X_1+X_2+\cdots+X_n}{n}$$
とおけば，これらの性質は，次のようにかけます：
$$E(\bar{X})=\mu, \quad V(\bar{X})=\frac{\sigma^2}{n}$$

この性質こそ，この本のメインテーマといえる〝推定・検定〟の基礎となる〝標本分布〟の**最重要性質**なのです．

ゼロからゼミナール　　大数の法則

ある大学での"統計学概論Ⅰ"（1年後期）の授業の1コマである．
K先生は，開講一番．
「サイコロを投げて，⚀が出る確率はいくらですか？」
「1/6です」
元気な答えが返ってきました．
「うん．それでは，あらためて質問だけど，⚀の出る確率が1/6っていうのは，どういうことかな？」
「サイコロを6回投げると，⚀が1回出るということです」
「6回投げて，⚀が2回出ることもあるし，1回も出ないこともあります！」との声も出て，これから，K先生の授業も本論へ……

ところで，サイコロを，600回，いや6000回，さらに，60000回投げると，なんと，⚀は10000回近く出るのです．

しかも，投げる回数を増やせば，**⚀の出る割合がほぼ1/6になることが，ますます確からしくなっていくのです．**

これが，**大数の（弱）法則**とよばれるものです．

キチンと記せば，次のようになります：

同一期待値 μ，同一分散 σ^2 をもつ互いに独立な確率変数の平均を，
$$\bar{X} = \frac{X_1 + X_2 + \cdots + X_m}{n}$$
とおけば，任意の $\varepsilon > 0$ に対して，次が成立する：
$$n \to \infty \text{ のとき，} P(|\bar{X} - \mu| < \varepsilon) \to 1$$

証明は，チェビシェフの定理(p.30)で，$k = \dfrac{\varepsilon}{s}$，$s = \dfrac{\sigma}{\sqrt{n}}$ とおきますと，次のようにアッという間にできてしまいます：

$$P(|\bar{X} - \mu| < \varepsilon) \geqq 1 - \frac{\sigma^2}{\varepsilon^2 n} \to 1 \quad (n \to \infty \text{ のとき})$$

大数の法則は，"統計的確率"と"数学的確率"の関係を言及する大切な定理です．

[**例**] 赤球3個・白球2個・青球1個，計6個の球が入っている箱から，無作為に2個の球を取り出したとき，赤球の個数を X，白球の個数を Y とする．
（1） (X,Y) の同時確率分布，X および Y の周辺分布を求めよ．
（2） $E(XY)-E(X)E(Y)$ を計算せよ．

解 （1） 6個の球を，

$$赤_1, 赤_2, 赤_3, 白_1, 白_2, 青$$

とする．このとき，2球の取り出し方は，次の15通りである：

　　　　（赤$_1$赤$_2$），（赤$_1$赤$_3$），（赤$_1$白$_1$），（赤$_1$白$_2$），（赤$_1$青），
　　　　（赤$_2$赤$_3$），（赤$_2$白$_1$），（赤$_2$白$_2$），（赤$_2$青），（赤$_3$白$_1$），
　　　　（赤$_3$白$_2$），（赤$_3$青），（白$_1$白$_2$），（白$_1$青），（白$_2$青）

これらは，同様に確からしいから，求める同時確率分布は，

X \ Y	0	1	2	計
0	0	$\frac{2}{15}$	$\frac{1}{15}$	$\frac{3}{15}$
1	$\frac{3}{15}$	$\frac{6}{15}$	0	$\frac{9}{15}$
2	$\frac{3}{15}$	0	0	$\frac{3}{15}$
計	$\frac{6}{15}$	$\frac{8}{15}$	$\frac{1}{15}$	1

これから，X および Y の周辺分布は，次のようになる：

X	0	1	2	計
P	$\frac{3}{15}$	$\frac{9}{15}$	$\frac{3}{15}$	1

Y	0	1	2	計
P	$\frac{6}{15}$	$\frac{8}{15}$	$\frac{1}{15}$	1

（2） $E(XY)=\ (0\times0\times0)+\left(0\times1\times\frac{2}{15}\right)+\left(0\times2\times\frac{1}{15}\right)$

$\qquad\qquad\quad +\left(1\times0\times\frac{3}{15}\right)+\left(1\times1\times\frac{6}{15}\right)+(1\times2\times0)$

$$+\left(2\times 0\times \frac{3}{15}\right)+(2\times 1\times 0)+(2\times 2\times 0)=\frac{6}{15}$$

一方,周辺分布から,

$$E(X)=\left(0\times \frac{3}{15}\right)+\left(1\times \frac{9}{15}\right)+\left(2\times \frac{3}{15}\right)=1$$

$$E(Y)=\left(0\times \frac{6}{15}\right)+\left(1\times \frac{8}{15}\right)+\left(2\times \frac{1}{15}\right)=\frac{10}{15}$$

したがって,

$$E(XY)-E(X)E(Y)=\frac{6}{15}-1\times \frac{10}{15}=-\frac{4}{15} \qquad \square$$

―――― **練習問題** ――――

2.2.1 1組52枚のトランプから,1枚のカードを引いたとき,

$$X=\begin{cases} 1 & (\text{カードは}\blacklozenge) \\ 0 & (\text{その他}) \end{cases}, \qquad Y=\begin{cases} 1 & (\text{カードは絵札}) \\ 0 & (\text{その他}) \end{cases}$$

とする.このとき X と Y は独立であることを示せ.

2.2.2 度数分布の場合にならって,確率変数に対して,

$$C(X,Y)=E[(X-E(X))(Y-E(Y))]$$

$$\rho(X,Y)=\frac{C(X,Y)}{\sigma(X)\sigma(Y)}$$

を,それぞれ,X,Y の**共分散**および**相関係数**とよぶ.

このとき,次を示せ:

(1) $C(X,Y)=E(XY)-E(X)E(Y)$

(2) $X,Y:$ 独立 $\implies C(X,Y)=\rho(X,Y)=0$

2.2.3 A, B両君が,同時に発車する2台のバスに,何の打ち合わせもなく偶然に乗車するとき,両君のどちらも乗っていないバスの台数を X とし,両君のうち第一のバスに乗った人数を Y とする.

このとき,$\rho(X,Y)=0$ ではあるが,X,Y は独立ではないことを示せ.

2.3. 二項分布の活用法

二項分布

　サイコロを 5 回投げて 1 の目 ⊡ が何回出るかを調べる，という実験を考えます．
　たとえば，⊡ がちょうど 2 回だけ出る確率はいくらでしょうか．
　5 回中 ⊡ がちょうど 2 回というのは，次の $_5C_2=10$ 通りです：

1回目	2回目	3回目	4回目	5回目	
○	○	×	×	×	
○	×	○	×	×	○：⊡ が出る
○	×	×	○	×	×：⊡ が出ない
…			…		
×	×	×	○	○	

　これらの一つの場合が起こる確率は，どれも ⊡ が 2 回，⊡ 以外が 3 回ですから，

$$\left(\frac{1}{6}\right)^2\left(\frac{5}{6}\right)^3$$

です．そして，この $_5C_2=10$ 通りの各場合は，互いに排反（どの二つも両立しない）ですから，求める確率は，

$$_5C_2\left(\frac{1}{6}\right)^2\left(\frac{5}{6}\right)^3$$

　さて，この実験で，サイコロを 5 回投げて ⊡ の出る回数を X としますと，上の考察と同様に，

$$P(X=k)={}_5C_k\left(\frac{1}{6}\right)^k\left(\frac{5}{6}\right)^{5-k} \quad (k=0,1,\cdots,5)$$

いま考えた実験は，次のようないちじるしい特徴があります：
（1）試行回数は，一定で 5 である．
（2）各回の試行結果は，〝成功〟（⊡ が出る）と〝失敗〟（⊡ が出ない）

だけである．（サイコロを投げて，"1の目が出る"か"2の目が出る"か，… などという関心のもち方はしない）
（3） 各回の試行は"独立"である．（ある回の試行は他の回の試行に何の影響も与えない）
（4） 各回での"成功"の確率は一定値 $1/6$ である．
（5） "成功"の回数だけが問題で，"成功"が何回目かは問題にしない．

このような実験を**ベルヌーイ試行**といいます．

さらに，上の確率変数 X は，試行回数 5，生起確率 $1/6$ の**二項分布**に"従って分布する"（ふつう簡単に"従う"）といいます．

以上を一般化して，

◆ポイント ──────────── 二項分布 ──

1回の試行で，事柄 A の起こる確率が p の試行を独立に n 回くり返したとき，事柄 A の起こる回数 X の分布を**二項分布** $Bin(n, p)$ とよぶ．ただし，$0 < p < 1$．

● **確率関数** $q = 1 - p$ とおくとき，
$$P(X = k) = {}_n C_k p^k q^{n-k} \quad (k = 0, 1, 2, \cdots, n)$$

● **期待値・分散** $E(X) = np \quad V(X) = npq$

▶**注** 確率関数が，**二項定理**（Binomial Theorem）
$$(p + q)^n = \sum_{k=0}^{n} {}_n C_k p^k q^{n-k}$$
の各項と一致することが，二項分布命名の由来であります．

[例] 打率2割5分のバッターが，4打席で打つヒットの本数 X の確率分布を求めよ．4打席で少なくとも1本のヒットを打つ確率を求めよ．

解 X は，二項分布 $Bin(4, 0.25)$ に従う．
$$P(X \geq 1) = 1 - {}_4 C_0 (0.25)^0 (0.75)^4 = 0.683 \cdots \quad \square$$

2割5分バッターならば，4打席でヒットが出るのは，相当確実と思われますが，その確率が70％にも届かないとは少々意外ですね．

ゼロからゼミナール　　順　列

4個の異なる数字 1, 3, 5, 7 から三つの数字を取り出し 3 桁の整数を作って，辞書式に並べると，次のようになり，24 個あります：

  135 137 153 157 173 175 315 317
  351 357 371 375 513 517 531 537
  571 573 713 715 731 735 751 753

一般に，**異なる** n 個のものから，r 個を取り出して 1 列に並べたものを，n 個から r 個を取る**順列**（Permutation）とよび，その総数を $_n\mathrm{P}_r$ と記します．

上の例は，4 個から 3 個を取る順列で，その総数は，次のように計算されます：

  百位は，1, 3, 5, 7 のどれでもよいので … 4 通り
  十位は，残り 3 個のうちどれでもよいので … 3 通り
  一位は，残り 2 個のうちどれでもよいので … 2 通り

ゆえに，
  $_4\mathrm{P}_3 = 4 \times 3 \times 2 = 24$（通り）

一般に，
$$_n\mathrm{P}_r = \underbrace{n(n-1)(n-2)\cdots(n-r+1)}_{r\text{個}}$$

とくに，$r = n$ の場合，
$$_n\mathrm{P}_n = n(n-1)(n-2)\cdots 3 \cdot 2 \cdot 1$$

を，n の**階乗**（かいじょう）とよび，$n!$ と記します．

たとえば，1 チーム 9 人の選手のバッター順は，
$$9! = 9 \times 8 \times 7 \times \cdots \times 3 \times 2 \times 1 = 362880\,（通り）$$

もあり，毎日毎日バッター順を変えるとしますと，
$$362880 \div 365 = 994.19\cdots$$

ですから，なんと，ほぼ 1000 年もかかるわけです．階乗というのは，本当に「！」ですね．

ゼロからゼミナール　　組合せ

A, B, C, D, E の5人から3人の委員を選ぶとき，その選び方は，次の10通りです：

　　　　ABC　　ABD　　ABE　　ACD　　ACE
　　　　ADE　　BCD　　BCE　　BDE　　CDE

一般に，異なる n 個のものから，**順序を問題にしないで**，r 個を取り出して1組としたものを，n 個から r 個を取る**組合せ**（Combination）とよび，その総数を $_nC_r$ と記します．

上の例は，5個から3個を取る組合せで，その総数 $_5C_3$ は，次のように計算されます．

いま，たとえば，一つの組合せ ABC に対して，A, B, C の3人から成る順列は，次の $_3P_3=3!$ 通りあります：

　　　　ABC　　ACB　　BAC　　BCA　　CAB　　CBA

そこで，冒頭の各組合せについて，順列を考えますと，全部で，

$$_5C_3 \times 3! \quad （通り）$$

あります．これは，5人から3人を選出して1列に並べる方法の総数 $_5P_3$ に一致するわけですから，

$$_5C_3 \times 3! = {_5P_3}$$

$$\therefore \quad _5C_3 = \frac{_5P_3}{3!} = \frac{5 \cdot 4 \cdot 3}{3 \cdot 2 \cdot 1} = 10$$

一般に，

$$_nC_r = \frac{_nP_r}{r!} = \frac{n(n-1)(n-2)\cdots(n-r+1)}{r(r-1)(r-2)\cdots 2 \cdot 1}$$

この式の右辺の分母分子に $(n-r)!$ を掛けますと，

$$_nC_r = \frac{n!}{r!(n-r)!} \quad\quad (*)$$

$_nC_n$ の意味より，$_nC_n=1$．$(*)$ で，$r=n$ とおくことによって，$0!=1$ と**規約する**のが自然であることが分かります．したがって，$(*)$ で，$r=0$ とおけば，$_nC_0=1$ が得られます．

第2章◎分布両道——二項分布と正規分布

いま述べましたように，一つのサイコロを5回投げたとき☉の出る回数 X は，二項分布 $Bin(5, 1/6)$ に従い，

$$P(X=k) = {}_5C_k \left(\frac{1}{6}\right)^k \left(\frac{5}{6}\right)^{5-k} \quad (k=0,1,2,\cdots,5)$$

でした．

サイコロを10回投げるのならば $Bin(10, 1/6)$ で，30回・50回ならば，$Bin(30, 1/6)$，$Bin(50, 1/6)$ ですが，これらを計算して図にかいてみます．

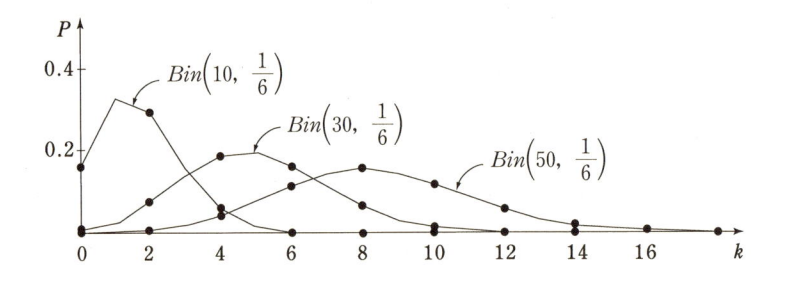

二項分布の期待値・分散

二項分布 $Bin(n,p)$ に従う確率変数 X の期待値と分散を求めてみましょう．

確率 p で起こる事柄 A が，n 回の独立試行で起こる回数が X です．

いま，第 i 回目の試行の結果について，

$$X_i = \begin{cases} 1 & (A \text{ が起こったとき}) \\ 0 & (A \text{ が起こらぬとき}) \end{cases}$$

という確率変数 $X_1, X_2, \cdots, X_n$ を考えます．各 X_i の確率分布は，

X_i	1	0	計
P	p	q	1

（ただし，$q = 1-p$）

各 X_i の期待値・分散は，

$$E(X_i) = \sum_k x_k \, p_k = 1 \cdot p + 0 \cdot q = p$$

$$V(X_i) = \sum_k (x_k - \mu)^2 p_k = (1-p)^2 p + (0-p)^2 q$$

$$= q^2 p + p^2 q$$

$$= pq(q+p)$$

$$= pq$$

いま，n 回の試行のうち，事柄 A の起こったのが，たとえば，2回目・3回目・5回目の計3回だけだったとしますと，

$$X = X_1 + X_2 + X_3 + X_4 + X_5 + X_6 + \cdots + X_n$$

$$= 0 + 1 + 1 + 0 + 1 + 0 + 0 + \cdots + 0$$

$$= 3$$

これから，n 回の試行で事柄 A が起こる回数は，$X_1, X_2, \cdots, X_n$ の和

$$X = X_1 + X_2 + \cdots + X_n$$

であることが分かります．したがって，E の性質を用いて，

$$E(X) = E(X_1 + X_2 + \cdots + X_n)$$

$$= E(X_1) + E(X_2) + \cdots + E(X_n)$$

$$= p + p + \cdots + p = np$$

また，$V(X)$ の方は，$X_1, X_2, \cdots, X_n$ の独立性を用いて，

$$V(X) = V(X_1 + X_2 + \cdots + X_n)$$

$$= V(X_1) + V(X_2) + \cdots + V(X_n)$$

$$= pq + pq + \cdots + pq = npq$$

［**例**］ 一つのサイコロを90回投げたとき，⊡ の出る回数の期待値・分散を求めよ．

解 ⊡ の出る回数 X は，$Bin\left(90, \dfrac{1}{6}\right)$ に従う．

$n = 90,\ p = \dfrac{1}{6}$ の場合だから，

$$E(X) = np = 90 \times \dfrac{1}{6} = 15$$

$$V(X) = npq = 90 \times \dfrac{1}{6} \times \dfrac{5}{6} = \dfrac{25}{2} \qquad \square$$

ゼロからゼミナール　馬に蹴られて死んだ兵士の数

下の表は，1875～1894年の20年間にプロシアの陸軍で馬に蹴られて死んだ兵士の数を10個部隊（延べ200部隊）について調べた結果です．（ポーランドの統計学者ボルトケヴィッチによる）

死亡者数	0	1	2	3	4	計
部隊数	109	65	22	3	1	200

死亡した1人の兵士が，ある特定の部隊に属する確率は，1/200．総死亡者数は122人ですから，この部隊で馬に蹴られて死んだ兵士の人数 X は，二項分布 $Bin(122, 1/200)$ に従います．

$$P(X=k) = {}_{122}C_k \left(\frac{1}{200}\right)^k \left(\frac{199}{200}\right)^{122-k}$$

$$E(X) = 122 \times (1/200) = 0.61 \text{（人）}$$

ですが，一般に，平均 $np=m$ が一定で，n が十分に大きいとき，

$${}_nC_k p^k q^{n-k} \text{ は，} \frac{m^k e^{-m}}{k!} \text{ で近似される}$$

ことが知られています．その証明は，自然対数の底とよばれる無理数 $e=2.718\cdots$ の性質を用いれば簡単ですが，ここでは略します．この

$$P(X=k) = \frac{m^k e^{-m}}{k!} \quad (k=0,1,2,\cdots)$$

を確率関数とする分布を，平均 m の**ポアソン分布**とよび，$P_o(m)$ などと記します．

$np=m$ が一定で，n が十分に大きいのですから，$p \fallingdotseq 0$ です．

1日に何件の交通事故が起こるか，1ページにミスプリが何個あるかなど，**めったに起こらない**ことが，単位時間，単位空間に発生する回数の分布が，このポアソン分布で，細胞内の染色体交替数など生物統計・在庫管理・道路の混雑状況コントロールなど広い応用があります．

馬に蹴られて死んだ兵士の数の分布は，$P_o(0.61)$ です．

[例] X が二項分布 $Bin(n,p)$ に従うとき, $p_k = P(X=k)$ とおく.

(1) $\dfrac{p_{k+1}}{p_k} = \dfrac{(n-k)p}{(k+1)q}$ を示せ. ただし, $q=1-p$ とする.

(2) 次を示せ:
$$k < np - q \implies p_{k+1} > p_k$$
$$k > np - q \implies p_{k+1} < p_k$$

(3) $n=50$, $p=\dfrac{1}{6}$ のとき, $p_0, p_1, \cdots, p_{50}$ の最大項を求めよ.

解 (1) $p_k = {}_nC_k p^k q^{n-k}$ だから,

$$\dfrac{p_{k+1}}{p_k} = \dfrac{n!}{(k+1)!(n-k-1)!} \cdot \dfrac{k!(n-k)!}{n!} \cdot \dfrac{p}{q} = \dfrac{n-k}{k+1} \cdot \dfrac{p}{q}$$

(2) $p_{k+1} > p_k \iff \dfrac{p_{k+1}}{p_k} > 1$

$\iff \dfrac{n-k}{k+1} \cdot \dfrac{p}{q} > 1$

$\iff k < np - q$

$p_{k+1} < p_k \iff k > np - q$ も同様.

$${}_nC_r = \dfrac{n!}{r!(n-r)!}$$

(3) $n=50$, $p=\dfrac{1}{6}$, $q=\dfrac{5}{6}$ のとき, $np - q = 7.5$ だから,

$$k < 7.5 \implies p_{k+1} > p_k$$
$$k > 7.5 \implies p_{k+1} < p_k$$

ゆえに,
$$p_0 < p_1 < \cdots < p_7 < p_8 > p_9 > \cdots > p_{50}$$

したがって, 最大項は, p_8 である. □

━━━ **練習問題** ━━━

2.3.1 X が二項分布 $Bin(50, 1/3)$ に従うとき, $p_k = P(X=k)$ とおく. $p_0, p_1, \cdots, p_{50}$ の最大項を求めよ.

2.4. 正規分布の活用法

正規分布

東京は下町生まれで，淋しがり屋のわたくしは，人の多いにぎやかな町が好きです．夏祭り，夜店の射的・輪投げ・金魚すくいは，庶民の夏の風物詩です．

T君は，真剣に景品をねらって輪を投げるのですが，なかなか景品に命中しません．

次の表は，T君が輪を 50 回投げたときの輪と景品とのズレ X を測定した度数分布表です：

＋ … 行き過ぎ
－ … 景品の手前

階級（cm）	相対度数
〜 －50	0.02
－50 〜 －30	0.08
－30 〜 －10	0.20
－10 〜 10	0.34
10 〜 30	0.22
30 〜 50	0.08
50 〜	0.06
計	1.00

この度数分布表をヒストグラムにすると右のようになります．

　相対度数で目盛ったのですから，たとえば景品と輪とのズレ X が，
$$-30 \leq X < 30$$
の範囲にある確率は，
$$P(-30 \leq X < 30)$$
$$= 0.20 + 0.34 + 0.22$$
$$= 0.76$$
となります．

　そこで，輪を投げる回数を増やし，階級の幅をだんだん細かくしていきますと，ヒストグラムのギザギザも，だんだん細かくなっていき，

　階段も段が狭けりゃ滑り台というわけで，ヒストグラムは，一番下の図のように，左右対称な山形の曲線に近づいていきます．この曲線を**正規曲線**とよびます．

　そして，輪を投げる回数を増やしていきますと，ズレ X の期待値・分散も一定の値に近づきます：
$$E(X) \to \mu$$
$$V(X) \to \sigma^2$$
この正規曲線を密度関数とするような分布を，**正規分布**（Normal distribution）とよびます．

　この正規分布の期待値・分散は，この μ と σ^2 に一致するのです．

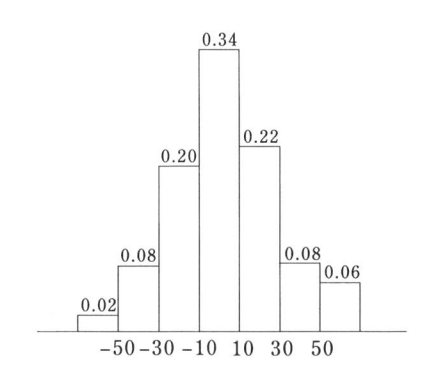

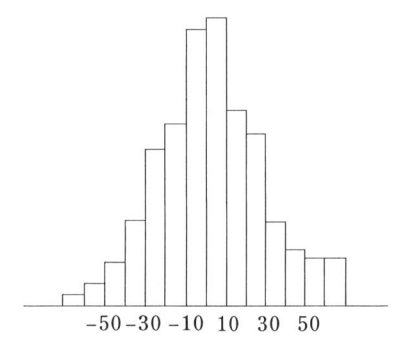

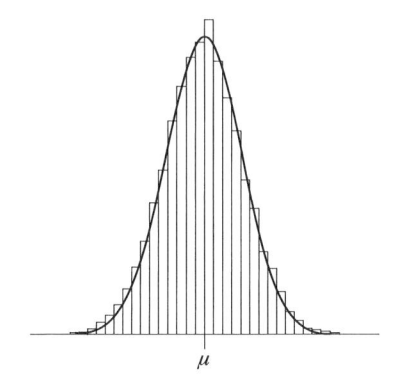

この意味で，この正規分布を，
$$N(\mu, \sigma^2)$$
と記します．

▶**注1** 念のために申し添えますと，上の輪投げの場合，$\mu=0$ であるとはかぎりません．"輪投げ"でも"機械製品"でも同じですが，人でも機械でも，目標より平均して大きめになるとか，小さめになるとかという個性があるからです．

しかし，ズレ（誤差）全体を考えますと，その平均値（期待値）に関して対称な山形に分布する ── 正規分布に従う ── のです．

▶**注2** 正規曲線の方程式（正規分布の確率密度関数）は，じつは，
$$y = \frac{1}{\sqrt{2\pi}\,\sigma} e^{-\frac{(x-\mu)^2}{2\sigma^2}} \quad (e \text{ は定数で，} e \fallingdotseq 2.71)$$
というふうにかけるのです．読者のみなさんは，ビックリして逃げ出さないで下さい．「ああ，そんなものか」と忘れていただいてけっこうです．ただ参考までにかいてみただけですから．大切なのは，次に述べる $N(\mu, \sigma^2)$ の μ と σ^2 の意味と役割です．

正規分布は，ドイツの数学者 Gauss（ガウス）(1777～1855) が，土地測量の結果を整理するために導入したものですが，次の三つの理由で，多くの確率分布の中で**最も重要な分布**といわれるのです：

（1） 測定誤差の分布・身長の分布・… は，正規分布です．自然現象・社会現象には，正規分布に従うと考えられるものがきわめて多い．

（2） 後に"ラプラスの定理"や"中心極限定理"として説明しますが，データが多数のとき，多くの分布は正規分布で近似される．

（3） これも後に取り上げることですが，母集団が正規分布に従うとき，いろいろな統計量（標本の関数）はよく知られた分布になる．

正規分布は，まさに，統計学の最強バッターなのです．

▶**注** 自然現象・社会現象で，正規分布に従うものはたくさんありますが，正規分布に従わないものもたくさんあります．たとえば，難しい問題の試験成績の分布・大企業の給料の分布などは，右上の図のように左に片寄った傾向の分布になるでしょう．

また，(同一年令男子の)身長・胸囲は正規分布に従うと考えられますが，体重は少し違い右図のような傾向があります．たとえば，平均体重 50kg の場合，体重 50＋20kg の人は，よく見かけますが，50－20kg の人はめったにいませんね．身長は 1 次元，体重(体積)は 3 次元ですから，$\sqrt[3]{体重}$ が正規分布に従うのかもしれない，と想像したくなってしまいます．

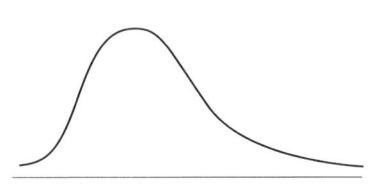

正規分布と確率

　正規分布 $N(\mu, \sigma^2)$ の密度関数のグラフは，図のようになります：

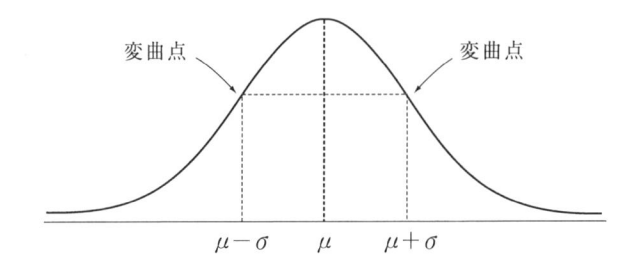

じつは，この分布の期待値・分散・標準偏差は，
$$E(X) = \mu, \quad V(X) = \sigma^2, \quad \sigma(X) = \sigma$$
となります．ですから，期待値(平均値)に関して左右対称で，平均値から σ の距離の所 $\mu \pm \sigma$ が**変曲点**です．変曲点というのは，曲線が右曲りから左曲りへ(または左曲りから右曲りへ)変わる点のことです．

　たとえば，平均 2.8cm，標準偏差 26.5cm の景品からのズレの分布は，
$$N(2.8\,\mathrm{cm}, (26.5\,\mathrm{cm})^2)$$
です．また，平均 171cm，標準偏差 6cm の A 教育大学男子学生の身長の分布は，次のように記されます：
$$N(171\,\mathrm{cm}, (6\,\mathrm{cm})^2)$$

さて，一般に，正規分布 $N(\mu, \sigma^2)$ の平均 μ，標準偏差 σ について次の性質があります：

$$P(\mu-\sigma \leq X \leq \mu+\sigma) = 0.6826$$
$$P(\mu-2\sigma \leq X \leq \mu+2\sigma) = 0.9544$$
$$P(\mu-3\sigma \leq X \leq \mu+3\sigma) = 0.9973$$

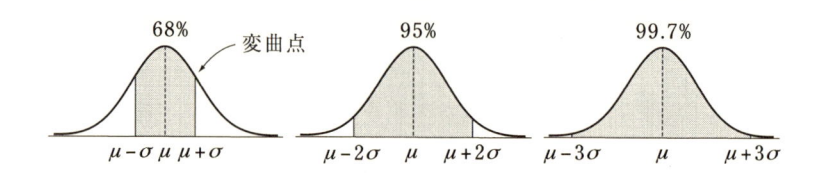

大切な性質なので，まとめておきます．

―――◆ポイント――――――――――――正規分布と確率―――

正規分布 $N(\mu, \sigma^2)$ に従う X について，
- $\mu-\sigma \leq X \leq \mu+\sigma$ となる X は，全体の 68％ ある．
- $\mu-2\sigma \leq X \leq \mu+2\sigma$ となる X は，全体の 95％ ある．
- $\mu-3\sigma \leq X \leq \mu+3\sigma$ となる X は，全体の 99.7％ ある．

たとえば，A 教育大学男子の身長は，正規分布 $N(171\,\text{cm}, (6\,\text{cm})^2)$ に従うのでした．ですから，たとえば，

$$171\,\text{cm} - 6\,\text{cm} \leq X \leq 171\,\text{cm} + 6\,\text{cm}$$

すなわち，

$$165\,\text{cm} \leq X \leq 177\,\text{cm}$$

の学生は全体の 68％ ほどです．男子学生数を 2100 人としますと，

$$2100\,\text{人} \times 0.68 = 1428\,\text{人}$$

ほどが，この範囲の身長の学生だということになります．

ゼロからゼミナール　分布のタイプ

● データサイズが大きいとき，**階級数を増やしていく**と，階級幅はしだいに小さくなり，ヒストグラムはしだいに**曲線に近づき**ます．

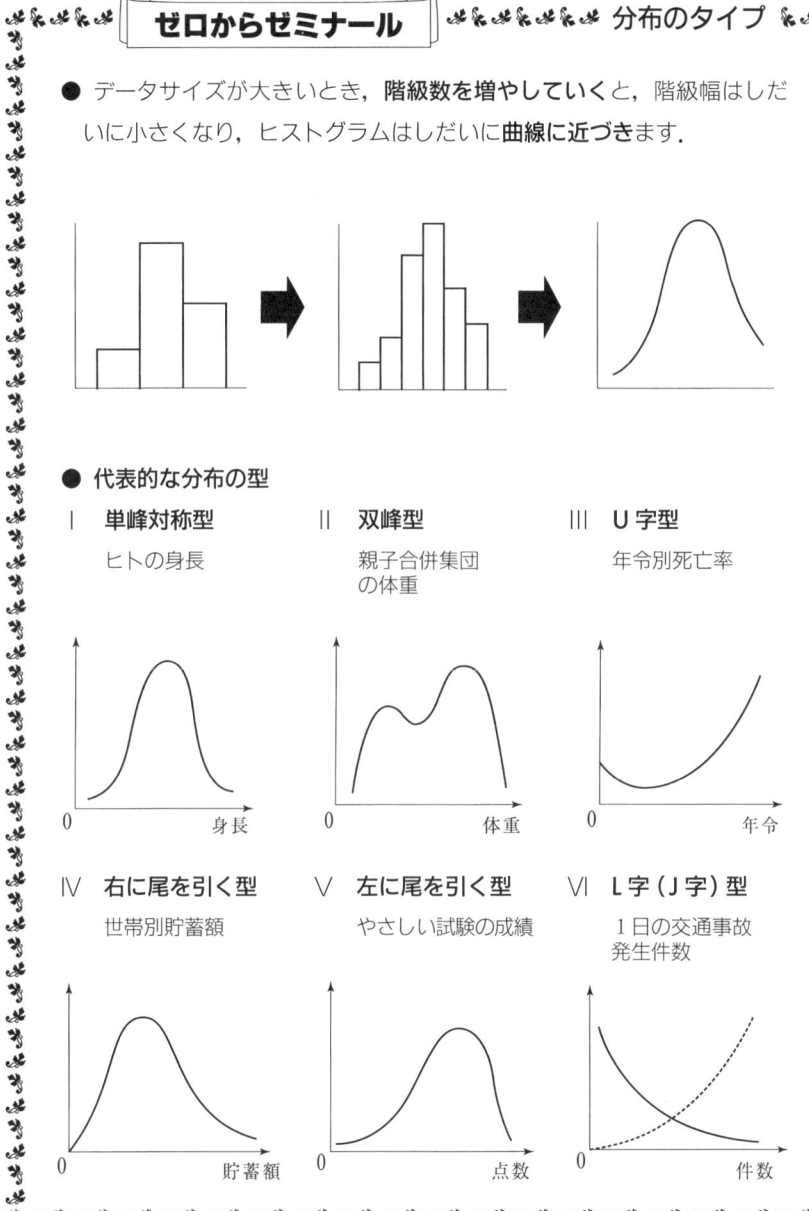

● 代表的な分布の型

Ⅰ　単峰対称型
　ヒトの身長

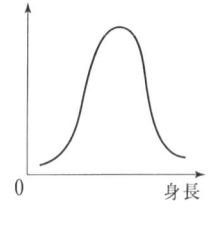

Ⅱ　双峰型
　親子合併集団の体重

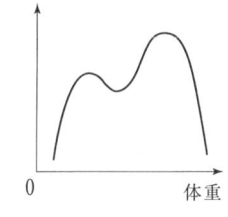

Ⅲ　U字型
　年令別死亡率

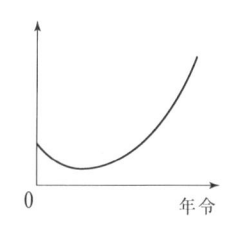

Ⅳ　右に尾を引く型
　世帯別貯蓄額

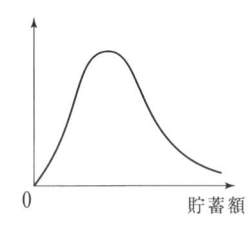

Ⅴ　左に尾を引く型
　やさしい試験の成績

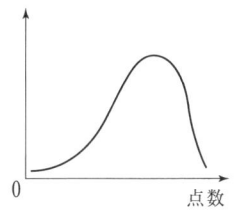

Ⅵ　L字（J字）型
　1日の交通事故発生件数

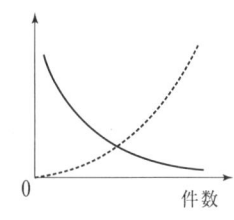

第2章◎分布両道——二項分布と正規分布

正規分布の標準化

それでは，このA教育大学で，たとえば，
$$174\,\text{cm} \leq X \leq 180\,\text{cm}$$
という身長の男子学生は，何％くらいになるのでしょうか？

これは，簡単に求められます．それは，細かい〝数表〟ができているからです．と申しましても，輪投げのズレの分布 $N(2.8\,\text{cm}, (26.5\,\text{cm})^2)$ 用の数表・A大男子学生の身長の分布 $N(171\,\text{cm}, (6\,\text{cm})^2)$ 用の数表・… のように，いろいろな平均・分散についてすべての数表が用意されているわけではありません．それは不可能というものです．

数表は，**ただ一つ**，平均0・分散1の正規分布
$$N(0,1)$$
についての数表が作られているだけなのです．この正規分布 $N(0,1)$ を，**標準正規分布**とよび，数表を**正規分布表**といいます．

それでは，標準正規分布 $N(0,1)$ 用の数表だけあれば十分だということを説明しましょう．

ポイントは，任意の正規分布 $N(\mu, \sigma^2)$ に従う確率変数 X を，次のような〝おきかえ〟によって，標準正規分布 $N(0,1)$ に従う Z へ移行させてしまうのです：

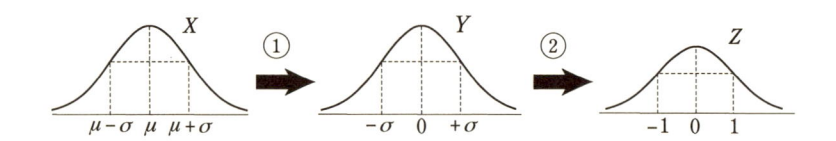

①：μ だけズラして平均を0にする．（$Y = X - \mu$ とおく）

②：σ で割って標準偏差を1にする．$\left(Z = \dfrac{Y}{\sigma} = \dfrac{X-\mu}{\sigma}\ \text{とおく} \right)$

ご覧のように，
$$Z = \frac{X-\mu}{\sigma}$$

とおいたのですから，Z の平均・分散は，確かに，

$$E(Z)=E\left(\frac{X-\mu}{\sigma}\right)=\frac{1}{\sigma}\left(E(X)-\mu\right)=\frac{1}{\sigma}(\mu-\mu)=0$$

$$V(Z)=V\left(\frac{X-\mu}{\sigma}\right)=\frac{1}{\sigma^2}V(X)=\frac{1}{\sigma^2}\cdot\sigma^2=1$$

となっています．このように，一般の X から $N(0,1)$ に従う Z を導くことを，**標準化**といいます．この二つの確率変数 X, Z のあいだには，

$$X \text{ は } N(\mu,\sigma^2) \text{ に従う} \iff Z \text{ は } N(0,1) \text{ に従う}$$

$$P(a\leqq X\leqq b)=P(a-\mu\leqq X-\mu\leqq b-\mu)$$

$$=P\left(\frac{a-\mu}{\sigma}\leqq\frac{X-\mu}{\sigma}\leqq\frac{b-\mu}{\sigma}\right)$$

$$=P\left(\frac{a-\mu}{\sigma}\leqq Z\leqq\frac{b-\mu}{\sigma}\right)$$

という関係がありますから，どんな正規分布の計算も，つねに標準正規分布の計算に帰着してしまうわけです．

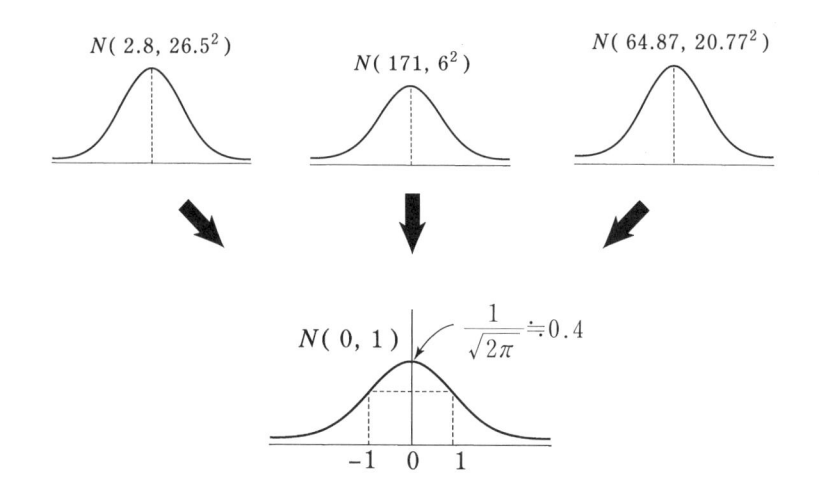

正規分布表の使い方

この本では，一番ポピュラーな次のタイプの正規分布表を採用します：

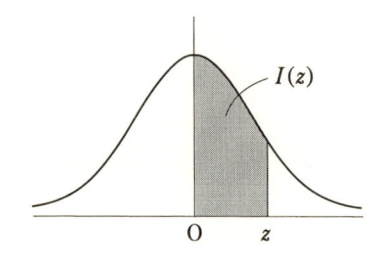

標準正規分布の確率 $I(z)$

図で，横軸上の目盛 z から，斜線部分の面積 $I(z)$ を求めるものです．p.201 を開いて下さい．

z	0.00	0.01	$\cdots$	0.05
0.0	0.0000	0.0040	$\cdots$	0.0199
0.1	.0398	.0438	$\cdots$	
$\vdots$				
1.2	----------------------			0.3944
$\vdots$				

右図の斜線部分の面積を $I(1.25)$ と記す習慣があります．

　　　　　　　左欄から，1.2　　　上欄から，0.05

の交叉点から $I(1.25)$ を読み取ります．お分かりいただけますね．

$$I(1.25) = 0.3944$$

また，Z が $N(0,1)$ に従うとき，$P(Z \geq 1.25)$ は，

$$P(Z \geq 1.25) = \quad - \quad$$

$$= 0.5 - I(1.25)$$
$$= 0.5 - 0.3944 \quad (\text{上で求めておきました})$$
$$= 0.1056$$

また，
$$P(-0.67 \leqq Z \leqq 1.12)$$

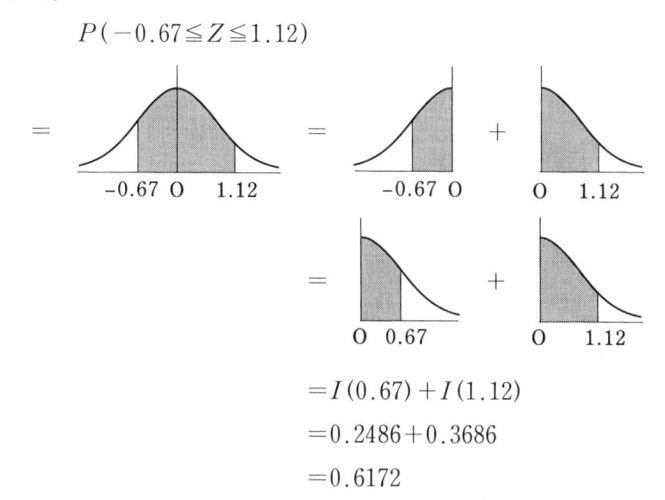

= [図] = [図] + [図]
 −0.67 O 1.12   −0.67 O   O 1.12

= [図] + [図]
 O 0.67   O 1.12

$$= I(0.67) + I(1.12)$$
$$= 0.2486 + 0.3686$$
$$= 0.6172$$

次に，上の例とは逆に，右図で，面積が分かっているときに，横軸上の目盛を求めましょう．Z が $N(0,1)$ に従うとき，
$$P(0 \leqq Z \leqq ?) = 0.3240$$
を満たす？を求めることになります．

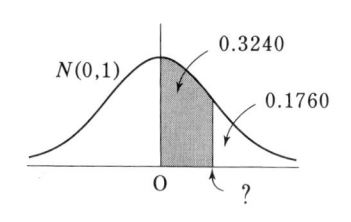

正規分布表から 0.3240 に一番近い値を探して，
$$? = 0.93$$
が求める値です．この点を，$N(0,1)$ の右側 17.6 **パーセント点**といい，
$$z(0.1760)$$
と記すことがあります．

▶注　$I(z)$ を求めるときも，パーセント点を求めるときも，表にない値の場合は，**比例配分（線形補間）**という方法がありますが，この本では，そこまでは考えません．

[**例**] 2001年度大学入試センター試験，数学IAの受験者381500人の得点は，平均64.9点，標準偏差20.8点の正規分布に従うものとする．
（1） 70～90点の受験生は，ほぼ何人と考えられるか．
（2） 得点上位50,000人目の得点は，いくらか．

解 （1） 得点 X は，$N(64.9, 20.8^2)$ に従うから，
$$Z = \frac{X - 64.9}{20.8}$$
は，標準正規分布 $N(0,1)$ に従う．ゆえに，

$P(70 \leq X \leq 90)$
$= P\left(\dfrac{70-64.9}{20.8} \leq \dfrac{X-64.9}{20.8} \leq \dfrac{90-64.9}{20.8}\right)$
$= P(0.25 \leq Z \leq 1.21)$
$= I(1.21) - I(0.25)$
$= 0.3869 - 0.0987$
$= 0.2882$

ゆえに，求める受験者数は，
 381500人 × 0.2882
$= 109948.3$ 人
$\fallingdotseq$ 11万人

（2） 上から50,000番目の受験生は，上位
$$\frac{50000}{381500} = 0.131 \quad (13.1\%)$$
である．正規分布表で，
$$0.5 - 0.131 = 0.369$$
の近くを探して，
$$z(0.131) = 1.12$$
したがって，
$$Z = z(0.131)$$
すなわち，
$$\frac{X - 64.9}{20.8} = 1.12$$

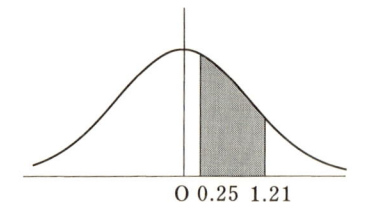

∴　　$X = 64.9 + 20.8 \times 1.12 = 88.20$

ゆえに，上位 50,000 番の得点は，ほぼ 88 点．　　　□

二項分布を正規分布で近似

　一つのサイコロを 90 回投げたとき，1 の目 ⊡ が，12 ～ 20 回出る確率は，いくらになるでしょうか？

　もちろん，⊡ の出る回数 X は，二項分布 $Bin(90, 1/6)$ に従い，

$$P(X = k) = {}_{90}C_k \left(\frac{1}{6}\right)^k \left(\frac{5}{6}\right)^{90-k} \quad (k = 0, 1, 2, \cdots, 90)$$

ですから，90 回中 ⊡ が，12 ～ 20 回出る確率は，

$$P(12 \leq X \leq 20) = P(X = 12) + P(X = 13) + \cdots + P(X = 20)$$
$$= {}_{90}C_{12}\left(\frac{1}{6}\right)^{12}\left(\frac{5}{6}\right)^{78} + \cdots + {}_{90}C_{20}\left(\frac{1}{6}\right)^{20}\left(\frac{5}{6}\right)^{70}$$

を正直にコツコツ計算すれば，求められるハズです．

　求められるハズですが，東海道の徒歩旅行と同じで，この計算の遂行は至難の業といえましょう．

　さあ，どうしたらよいでしょう？

　このようなとき，十分大きな n についてのお話を $n \to \infty$ という**極限で代行**するのが**数学の基本姿勢**なのです．正 10 角形・正 100 角形・… という正多角形の話を"円"で代用しよう，というのと同じ発想です．

　いま，X が二項分布 $Bin(n, p)$ に従うとき，この確率関数のグラフは，n, p の値によっていろいろですが，平均 $= 0$，分散 $= 1$ になるように，X の代りに，

$$Z = \frac{X - E(X)}{\sqrt{V(X)}} = \frac{X - np}{\sqrt{npq}}$$

を考えましょう（標準化！）．

　上のサイコロの問題を考えるために，$p = 1/6$，$q = 5/6$ として，いま試みに，$n = 10$，$n = 30$，$n = 90$ の場合について，それぞれ X と Z の確率関数のグラフをかいてみましょう．見やすいように，柱状グラフでかいてみます．（X は，p.90，Z は，p.91）

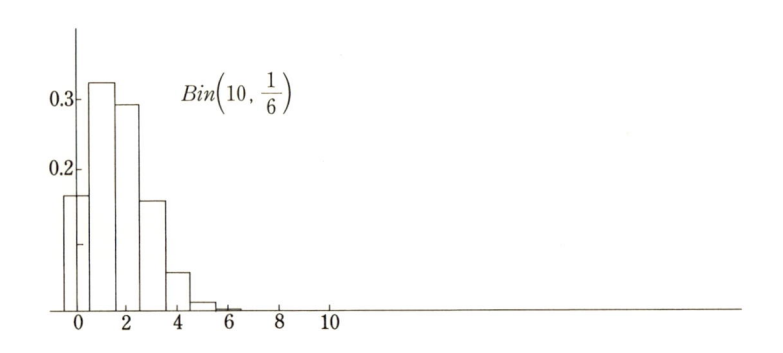

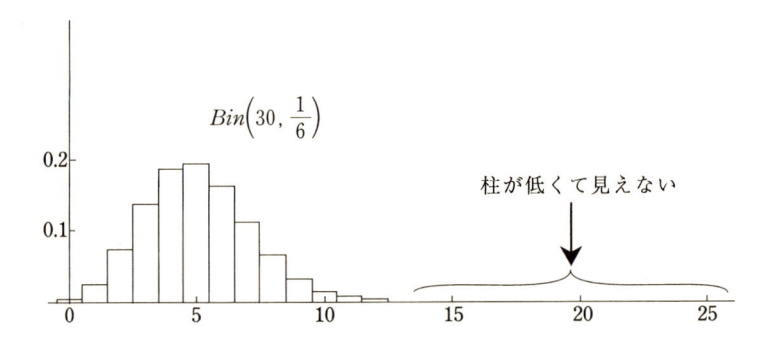

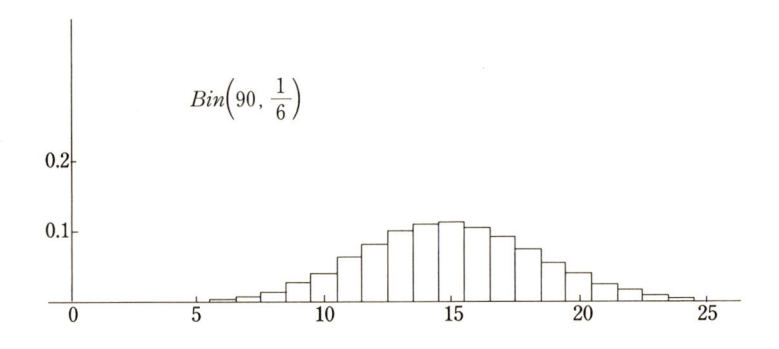

$Bin\left(10, \dfrac{1}{6}\right)$

$Bin\left(30, \dfrac{1}{6}\right)$

柱が低くて見えない

$Bin\left(90, \dfrac{1}{6}\right)$

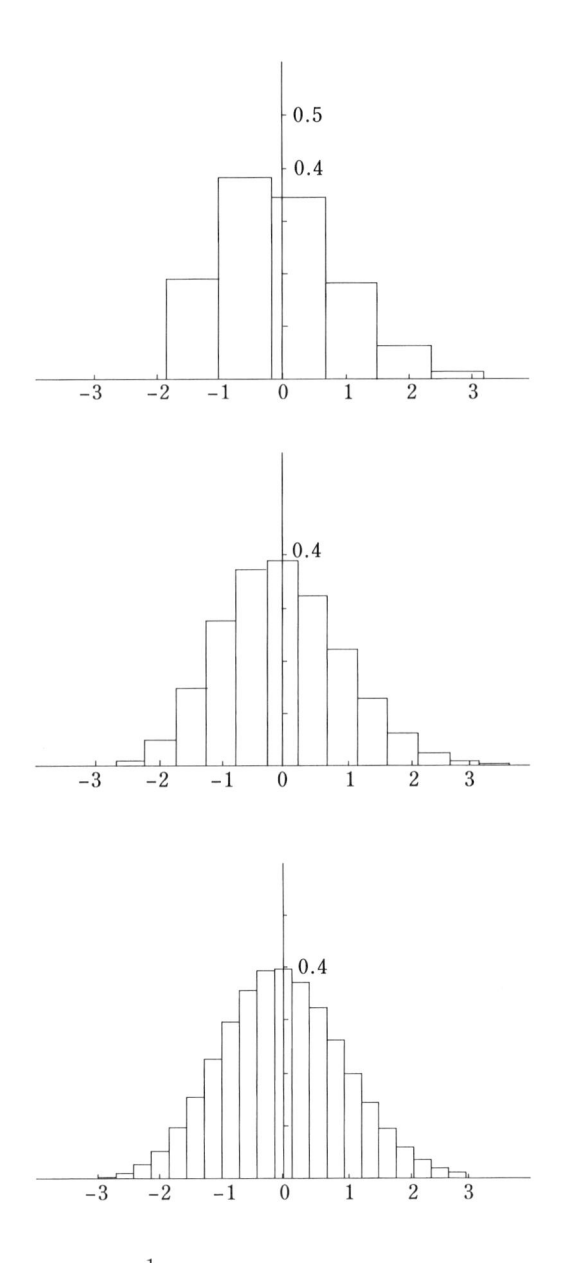

▶注　各柱の横幅は $\dfrac{1}{\sqrt{npq}}$ 倍になるので，高さを $\sqrt{npq}$ 倍した．

いかがでしょうか．試行回数を，$n=10, 30$ さらに，$n=90, \cdots$ と増やしていくと，Z のグラフは，不思議なことに，はじめ左上がりだったのが，左右対称の一つの曲線に近づくことが分かりますね．

この一つの曲線が，じつは標準正規曲線なのです．

この大切な性質を"ラプラスの定理"とよびます．

─── ◆ポイント ─────────── ラプラスの定理 ───

n が十分大きいときは，$Bin(n,p)$ に従う確率変数 X は，同じ平均・分散の正規分布 $N(np, npq)$ に近似的に従う．いいかえれば，
$$Z = \frac{X - np}{\sqrt{npq}}$$ は，近似的に $N(0,1)$ に従う．

▶注　実用的には，$np > 5$ かつ $nq > 5$ ならば，かなりの精度でよく近似されます．

ただし，n があまり大きくないときは，下図から分かりますように，
$$P(a \leq X \leq b) = 図の小長方形の面積の総和$$
を求めるときは，
$$P(a - 0.5 \leq X \leq b + 0.5)$$
として計算した方が，近似の精度がよくなります．図からも分かりますね．これを**半整数補正**といいます．

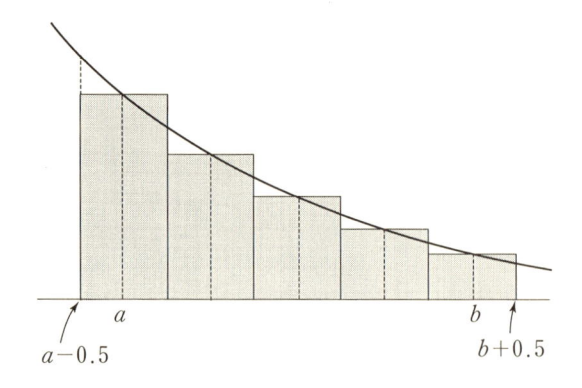

[**例**] 一つのサイコロを 180 回投げるとき，1 の目が，27 〜 34 回出る確率を求めよ．

解 1 の目の出る回数 X は，二項分布 $Bin\left(180, \dfrac{1}{6}\right)$ に従い，

$$E(X) = np = 180 \times \dfrac{1}{6} = 30$$

$$V(X) = npq = 180 \times \dfrac{1}{6} \times \dfrac{5}{6} = 25$$

であるが，$n=180$ は大きいので，X は近似的に $N(30, 25)$ に従う．

$$P(27 \leq X \leq 34) \fallingdotseq P(26.5 < X < 34.5)$$

$$= P\left(\dfrac{26.5-30}{5} < \dfrac{X-30}{5} < \dfrac{34.5-30}{5}\right)$$

$$= P(-0.7 < Z < 0.9)$$

$$= I(0.7) + I(0.9)$$

$$= 0.2580 + 0.3159 \fallingdotseq 0.574 \qquad □$$

▶**注** 半整数補正を行わなければ，

$$P(27 \leq X \leq 34) = P(-0.6 \leq Z \leq 0.8)$$

$$= 0.2258 + 0.2881 = 0.5139$$

コンピュータで真の値を計算しますと，$0.57159\cdots$．

正規分布の再生性

大正ロマン漂う西洋料理の老舗 "講サイ亭" の主人は，今日もみずから調理場で腕をふるっています．

味で評判のこの店のカレーライスは，ライスは 1 皿平均 300 g，標準偏差 30 g の正規分布に従い，カレーは 1 皿平均 200 g，標準偏差 40 g の正規分布に従うと考えられます．

このとき，ライスにカレーをかけたカレーライスの 1 皿の重さは，どんな分布に従っているのでしょうか？

じつは，カレーライスの重さもやはり正規分布に従い，その平均・標準偏差は，

平　均　$300+200=500$（g）

分　散　$30^2+40^2=50^2$（g^2）

となることが分かっているのです．

　一般に，確率変数 X, Y に対して，
$$E(X+Y)=E(X)+E(Y)$$
であって，さらに，X, Y が独立ならば，
$$V(X+Y)=V(X)+V(Y)$$
が成立するのでしたね．いま，とくに，X, Y が正規分布に従うならば，この和 $X+Y$ も正規分布に従うことが知られているのです：

◆ポイント ─────────── **正規分布の再生性** ───

X, Y は独立で，それぞれ，$N(\mu_A, \sigma_A^2)$，$N(\mu_B, \sigma_B^2)$ に従うとき，$X+Y$ は $N(\mu_A+\mu_B, \sigma_A^2+\sigma_B^2)$ に従う．

　この事実を，よく〝正規分布の和は，正規分布になる〟ということがありますが，これは，ライスとカレーの**合計重量**が正規分布に従うということであって，ライスとカレーを**別々に量った合併分布**ではありません．

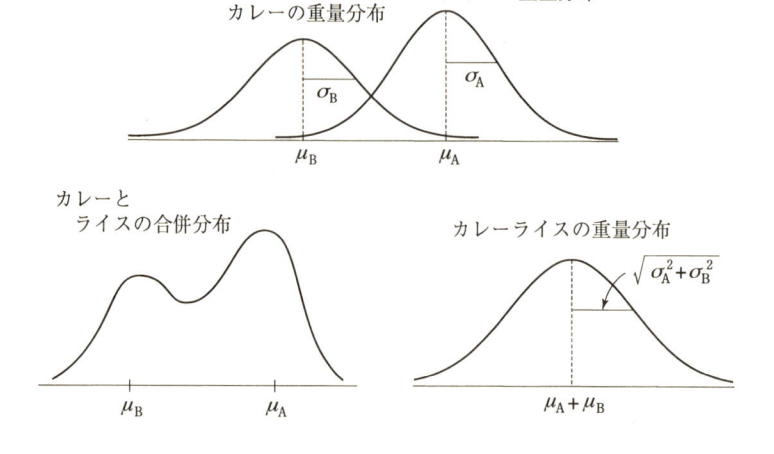

練習問題

2.4.1 次の ☐ に適当な数値(近似値)を記入せよ．
 (1) 分布は $N(0,1)$ (2) 分布は $N(\boxed{}_{⑥}, \boxed{}_{⑦}{}^2)$

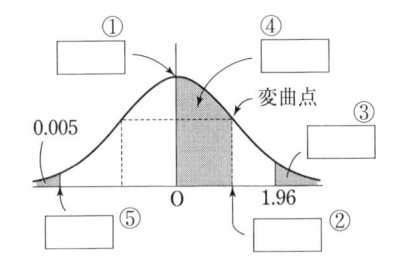

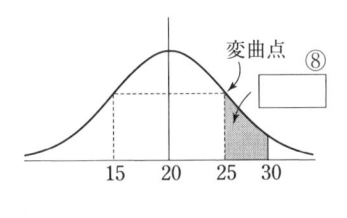

[図: 左側 $N(0,1)$ の正規分布曲線。①, ④ は曲線上の領域を指す矢印、変曲点の表示あり。0.005 は左裾の面積、-1.96 付近に⑤、0 と 1.96 が横軸に示され、③ は 1.96 右側の領域、② は下部のラベル。右側の正規分布曲線は平均 20、横軸に 15, 20, 25, 30 が示され、変曲点と⑧ のラベルあり。]

2.4.2 次が悪名高き偏差値である:

$$\text{偏差値} = \frac{\text{得点} - \text{平均点}}{\text{標準偏差}} \times 10 + 50$$

得点が上位 15% 以内に入るのは，偏差値がいくら以上の生徒か．得点は正規分布に従うものとする．

2.4.3 名古屋市の 2000 年度中学校新入生男子 9970 人の平均身長は，152.8cm, 標準偏差 8.1cm であった．
身長は正規分布に従うものとして，
 (1) 150〜160cm の身長の生徒は，何人いると考えられるか．
 (2) 身長が上から 1500 番目の生徒の身長はいくらか．

2.4.4 コインを 30 回投げるとき，表が 10〜19 回出る確率を求めよ．

2.4.5 新興住宅地の S 君は，バスと私鉄を乗り継いで通学している．
自宅からバスで最寄り駅までの所要時間は，平均 20 分・標準偏差 5 分の正規分布に従い，バスを降りてから学校へ到着するまでの所要時間は，平均 40 分・標準偏差 12 分の正規分布に従うものとする．
9 時の第 1 時限の授業に遅刻する確率を 5% 以下にするためには，遅くとも，いつ自宅を出なくてはならないか．

第 3 章
ゼロから学ぶ推測統計

　数十分のテストで成績を付ける．
　数ヶ月のお付きあいで結婚を決意する．
　おかみさんは，味噌汁を作るとき，よくかき混ぜてから，ほんの一口の味見で，味噌汁の味を決めています．このように，

　　　　　　　　一部から全体を推し測る

こと，これこそが，**統計学の任務**なのです．
　新聞社は 4 万人ほどの有権者の意見から 90% 以上の的中率で総選挙を予想します．4 万人は，全有権者 1 億 847 万人のなんと 1/2700 でしかありません．世論調査は，**統計学の勝利**です．
　このとき，大切なのは，味噌汁を**よくかき混ぜる**ことなのです．
　さあ，これから，この推測統計を学びましょう．

3.1. サンプルの性格を見抜く法

標本調査

次のような新聞記事を，よく目にすることがあります：

内閣府世論調査，夫婦別姓賛成 42% ― 賛成者で別姓希望者は 18.2% ―（2001.8.5 朝日）

これは，日本全国の成人男女全員に聞いた結果の数字なのでしょうか．いくら大組織を誇り税金から十分な予算が配分される内閣府であっても，成人男女 1 億 847 万人の一人一人に面接することなどできません．

実際には，この調査は，全国成人 5000 人を対象にし，3468 人の回答から得られた結果なのです．

このような統計調査は，二つに大別されます．

一つは，高校の体力テストのように，生徒全員について調べるやり方で，これを**全数調査**とよびます．10 年に一度行われるわが国の国勢調査は，もちろん全数調査です．

もう一つ，上の内閣府の世論調査の場合は，経済的にも技術的にも全数調査は困難でしょう．この場合，どうしても，全体ではなく，その一部を取り出して調べることになりますが，これが**標本調査**です．

ここで，ぜひとも確認しておきたいことは，統計調査において全数調査が理想的とは必ずしもいえない，ということです．

次のような場合は，標本調査によってこそ目的を達することができるからです：

(1) 調査対象が無限にあると考えられる場合： たとえば，ある電器メーカーの蛍光灯の平均寿命を知りたいとき，現在・過去・未来にわたって製造され続ける蛍光灯の全体が調査対象です．

(2) 経費・時間・労力が莫大な場合： たとえば，総選挙の投票行動の世論調査では，一省庁・一新聞社の経費と労力では，全有権者への面接調査は不可能です．結果集計の時間も大変ですから，投票日に間に合わないといった事態にもなりかねません．

(3) 調査が破壊的な場合： たとえば，ある食品メーカーのカンヅメの不良品を検査するために，全部のカンヅメを開けたのでは，売る商品がなくなってしまいます．

母集団・標本

たとえば，愛知県の小学校新入生男子の平均身長が必要な場合，〝新入生男子の身長の全体〟のような調査対象の特性値の全体を**母集団**とよびます．このとき，特性値 X の確率分布，すなわち母集団の分布を**母分布**とよび，その平均（期待値）・分散をそれぞれ**母平均・母分散**とよびます．新入生にかぎらず，椅子・机のサイズから，運動具・運動着の製作などに，各学年の平均身長および標準偏差はぜひ必要な資料なのです．

▶注　標本調査の場合，母集団から無作為にその一部を取り出すわけですが，その取り出し方に次の二種類があります：

復元抽出　…　同じ要素をくり返し取り出すことを許す
非復元抽出　…　同じ要素をくり返し取り出すことを許さない

有限母集団の場合は，復元抽出と非復元抽出とでは，一般には異なる結果になりますが，無限母集団では，一要素の抽出が次の抽出に影響を及ぼさないので，復元・非復元の区別はなくなり，一度にいくつかの要素を同時に取り出しても，一つずつ復元抽出で取り出したものと見なすことができます．

また，有限母集団の場合でも，**十分多数の要素から成るとき**は，無限母集団と見なされ，復元・非復元の区別はなくなります．

ちなみに，ある電器メーカーの蛍光灯のように無数の要素から成ると考えられる母集団を**無限母集団**とよび，有限個から成る場合を**有限母集団**とよびます．

さて，この標本抽出ですが，たとえば，上の愛知県の小学校新入生男子の身長を例にとってみましょう．

小学校新入生男子は，ほぼ35000人います．この中から，無作為に1人を抽出したら，その身長が117.3 cm だったとしましょう．

117.3 cm だったというのは，小学校新入生男子の身長 X が，たまたま

$X = 117.3$ cm という値を取ったということです．

また，3人を無作為に抽出したら，116.2, 118.0, 170.5 cm だったとしますと，これは，この母集団と同一の分布に従う独立な確率変数 X_1, X_2, X_3 の同時確率変数 (X_1, X_2, X_3) が，

$$(X_1, X_2, X_3) = (116.2, 118.0, 170.5)$$

という値を取ったということです．

そこで，このことを次のように一般化します：

一つの母集団があって，母分布と**同一**の確率分布に従う**互**いに**独立**な $X_1, X_2, \cdots, X_n$ の同時確率変数

$$(X_1, X_2, \cdots, X_n)$$

を，**サイズ**（または**大きさ**）n の**標本**とよびます．

母集団からの**標本抽出**（**無作為抽出・ランダムサンプリング**）ということは，$X_1, X_2, \cdots, X_n$ が**独立**であるという意味です．

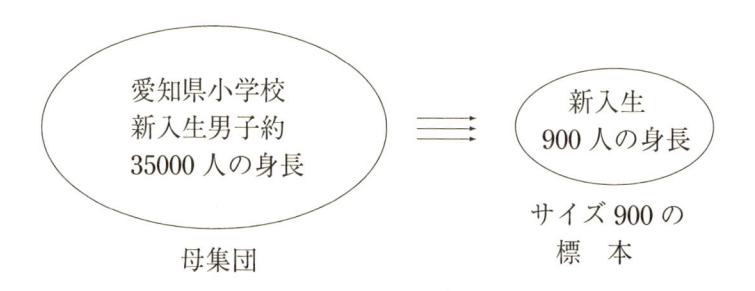

```
   ┌──────────────┐              ┌──────────┐
   │  愛知県小学校  │              │  新入生   │
   │  新入生男子約  │   ═══════>   │ 900人の身長│
   │  35000人の身長 │              │          │
   └──────────────┘              └──────────┘
       母集団                      サイズ900の
                                    標　本
```

乱数表

先ほど，この節の冒頭で，夫婦別姓賛成 42 ％（賛成者で別姓希望者は 18.2 ％）という内閣府世論調査の結果を紹介しました．この調査は，日本人成人1億847万人から5000人を抽出して実行されたのですが，この5000人の標本は，5000人ならどういう5000人でもよいのかといえば，もちろん，そうではありませんね．

年令の若い人々は，別姓支持の傾向が強いでしょうし，職業・居住地域・性別によっても賛否の比率も違ってくるでしょう．

ですから，標本（の取る値）は，〝偏り〟があってはいけません．

標本は，母集団の縮小相似形が望ましい

のです．

　たとえば，M電器で製造される蛍光灯のように母集団が一様な要素から成る場合は，母集団から直接同一確率で抽出する**単純抽出**で十分です．

　しかし，ある地方の小学校新入生男子の身長などの場合は，市町村別に単純抽出を行います．このとき，各市町村を**層**とよび，この抽出法を**層別抽出**とよびます．また，夫婦別姓支持などの場合は，年令・職業・居住地域・性別などによる**多重層別抽出**になります．

　さて，標本の単純抽出ですが，母集団や標本のサイズがそれほど大きくなければ，**乱数サイ**や**クジ**が手軽ですが，そうでなければ**乱数表**で機械的に抽出します．

　乱数サイは，正20面体のサイコロで，その各面に $0, 1, 2, \cdots, 9$ の数字が2回ずつ刻んであります．

　たとえば，赤のサイコロを百の位，黄を十の位，青を一の位と決めておけば，3個のサイコロを投げて出た目を読むことによって，0〜999の1000個の整数から1個を無作為抽出することができます．

　いま，一つの乱数サイを投げ，出た目の数を次々に記していきますと，たとえば，次のような数列が得られます：

$$3, 5, 8, 2, 0, 9, 7, 4, 9, 4, 4, 5, 9, 2, \cdots$$

このようにして得られた数列は，次の二つの性質をもっています：

(1) 　無規則性　…　1回目に出た数字と2回目に出た数字とは無関係．一般に，個々の数字は他の数字に影響されない．

(2) 　等確率性　…　サイコロを投げる回数が増えるほど，各数字は，同一の割合 $1/10$ で現われる．

　この二つの性質をもった数列を乱数列，簡単に**乱数**とよびます．

コンピュータが未発達の時代には，このように乱数サイを用いたり，$0,1,\cdots,9$ の数字を刻んだ同形同大の小球が同じ個数だけ入っている袋からの復元抽出によって乱数を作りましたが，現在では，コンピュータで短時間に乱数を発生させることができます．

それでは，本書巻末の乱数表を用いて，具体例を説明してみましょう．

[例] A,B,C,D,E,F の 6 人を無作為に一列に並べよ．

解　まず，A,B,$\cdots$,F に，1,2,$\cdots$,6 の番号を付けておく．

次に，たとえば，パッと開いた本のページで，行・列を，投げたサイコロの偶奇で，右進・下降と決めておく．

いま，たとえば，

$$19 ページ・8 ページ・\boxdot$$

であったとすれば，

$$19 行・8 列から右へ進む$$

ことになる．

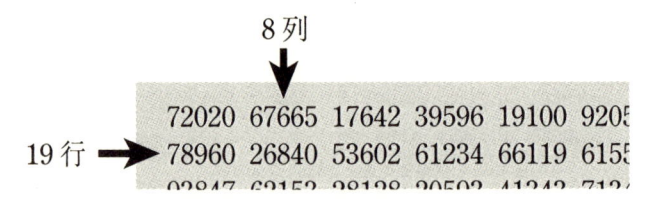

8列
↓
19行 →
```
72020  67665  17642  39596  19100  9205
78960  26840  53602  61234  66119  6155
02847  62152  28128  20502  41242  712
```

この部分の数を書き写し，1～6 以外と一度現われた数字を消し去る：

~~7~~ 4 ~~0~~ 5 3 6 ~~7~~ 2 ~~8~~ 1 ~~7~~ ~~7~~
　D　　E C F　B　A

したがって，並べ方は，次のようになる：

$$D,E,C,F,B,A \qquad \Box$$

[例] 170 人から，6 人を無作為に抽出せよ．

解　まず，170 人に，1,2,3,$\cdots$,170 の番号を付けておく．

上の例と同様にして，"22 行 16 列から右へ進む" ことになったとする．

$$\underline{179}\underline{71}\ \ \underline{308}\underline{04}\ \ \underline{160}\underline{13}\ \ \underline{295}\underline{54}\ \ \underline{828}\underline{32}\ \ \underline{218}\underline{80}$$

のように，次々と 3 桁の整数として読むのであるが，1～170 以外を削る

と意外に多くの乱数を必要とするので，200以上の整数からは，適宜200，400，600，800を引いて，すべてを，000〜199に収める．

その上で，1〜170以外の数や重複数を除外すると，
$$113, 80, 16, 13, 95, 148$$
という6人が抽出される．　　　　　　　　　　　　　　　　□

標本平均の平均

上で母集団から標本を抽出することを考えましたが，何のために，標本を抽出するのでしょうか？　標本の抽出は目的ではなく，手段です．本当の目的は，抽出された標本から母集団の（平均や分散を推測して）外郭実態を知ることなのです．

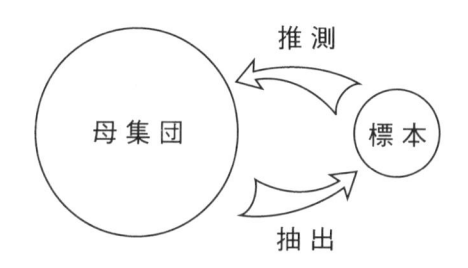

一部から全体を推し測る —— これが統計学の任務でしたね．

そこで，まず，最も大切な"母平均の推定"から考えることにします．

いま，次のような実験をやってみましょう：

100個の同形同大の球に，1,2,3,4,5の数字の一つを次の個数だけ記入し，袋に入れておきます：

数字 X	1	2	3	4	5	計
個　数	5	13	37	27	18	100

いま，この数字Xの値100個の平均・分散を計算してみますと，
$$\mu = 3.4, \quad \sigma^2 = 1.16$$
となります．

ところが，この事情を少しも知らない T 君が，この袋から復元抽出で 5 個の球を取り出すことだけから，袋の球の数字の平均 μ を推測するとしたらどうでしょうか？

T 君は，"がらがらよく混ぜた"袋から球を 1 個取り出し，その数字を記録し袋へもどすでしょう．次に，また一球を取り出し，その数字を記録し，……．これを，5 回くり返した結果が，たとえば，

$$3, 3, 3, 5, 2$$

であったとしましょう．

このとき，T 君は，おそらく，この 5 個の数字の平均

$$\bar{x}=\frac{1}{5}(3+3+3+5+2)=3.2$$

を計算し，「袋の 100 個の数字の平均（母平均）μ は，ほぼ 3.2 くらいだろう」と推測するに違いありません．

同時に，「5 個の球を抽出するたびに，その平均 $\bar{x}$ もいろいろ変わるだろうから，この $\bar{x}=3.2$ と真の平均値 μ とは多少のズレがあるハズだ」と思うに違いありません．ここまでは，常識の範囲の話です．

それでは，

母平均 μ は，この $\bar{x}=3.2$ にどの程度近いのか？

$\bar{x}=3.2$ の信頼性をどのように考えたらよいのか？

ということになりますが，そのためには，

標本平均の分布

というものを考える必要があります．

T 君は，ただ 1 回の復元抽出 ($3,3,3,5,2$) から $\bar{x}=3.2$ を計算したのですが，この ($3,3,3,5,2$) は，標本 (X_1, X_2, X_3, X_4, X_5) の一つの**実現値**であって，$\bar{x}=3.2$ は，標本平均

$$\bar{X}=\frac{1}{5}(X_1+X_2+X_3+X_4+X_5)$$

の一つの実現値です．

ところで，袋からの抽出は復元抽出ですから，標本（実現値）は，$100^5=100$ 億個もあり，これらのそれぞれに標本平均値 $\bar{x}$ があるわけです．

この "100^5 個の標本平均値の分布" を調べたいのです．

そういっても，100^5 個の標本平均を全部この本に書き下すことなどできませんので，T君と同様の実験を50回行って，そのたびごとに求めた (標本) 平均値を次に記してみましょう：

3.8	3.0	4.2	3.8	4.0	2.4	3.6	2.8	4.4	3.0
4.0	3.4	3.0	4.0	4.2	4.0	4.4	4.6	3.4	3.4
3.6	3.6	4.0	4.0	2.2	2.4	4.0	3.6	4.0	4.0
2.8	4.0	3.4	3.0	3.4	3.6	3.0	3.2	2.8	3.8
3.2	3.2	3.6	3.6	2.6	3.0	4.6	3.2	3.2	2.8

いま，この結果を度数分布表にしてみますと，右下のようになります．

$\overline{X}$	度数	相対度数
～ 2.5	3	0.06
2.5 ～ 3.1	11	0.22
3.1 ～ 3.7	17	0.34
3.7 ～ 4.3	15	0.30
4.3 ～	4	0.08
計	50	1.00

この度数分布表から，標本平均値50個の平均を計算しますと，

$$平均 = 3.47$$

になります．

右の二つのヒストグラムを，ご覧下さい．50個の標本平均値は，この平均＝3.47のまわりにきわめて**密集している**ことが分かりますね．

なぜか？　次に，その "理由" を考えてみましょう．

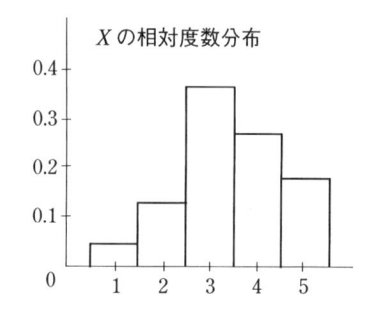

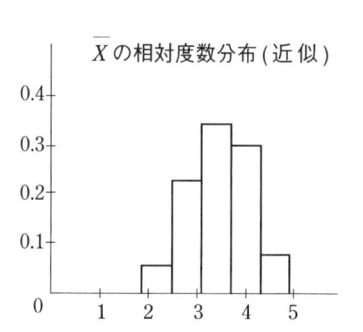

標本平均の分布

　じつは，この"理由"は，もうすでに学習ずみなのです．思い出して下さい．確率変数の期待値・分散には次の大切な性質がありましたね：

1° $E(a_1X_1+\cdots+a_nX_n)=a_1E(X_1)+\cdots+a_nE(X_n)$

2° $X_1,X_2,\cdots,X_n$ が独立ならば，
$$V(a_1X_1+\cdots+a_nX_n)=a_1^2V(X_1)+\cdots+a_n^2V(X_n)$$

　これらの性質で，とくに，$X_1,X_2,\cdots,X_n$ が独立で，どれも，平均 μ，分散 σ^2 の同一の分布に従う場合を考えて，
$$\overline{X}=\frac{X_1+X_2+\cdots+X_n}{n}=\frac{1}{n}X_1+\frac{1}{n}X_2+\cdots+\frac{1}{n}X_n$$

とおきますと，この平均・分散は次のように計算されます：

$$\begin{aligned}
E(\overline{X}) &= E\left(\frac{1}{n}X_1+\frac{1}{n}X_2+\cdots+\frac{1}{n}X_n\right) \\
&= \frac{1}{n}E(X_1)+\frac{1}{n}E(X_2)+\cdots+\frac{1}{n}E(X_n) \\
&= \frac{1}{n}\mu+\frac{1}{n}\mu+\cdots+\frac{1}{n}\mu=\mu \\
V(\overline{X}) &= V\left(\frac{1}{n}X_1+\frac{1}{n}X_2+\cdots+\frac{1}{n}X_n\right) \\
&= \frac{1}{n^2}V(X_1)+\frac{1}{n^2}V(X_2)+\cdots+\frac{1}{n^2}V(X_n) \\
&= \frac{1}{n^2}\sigma^2+\frac{1}{n^2}\sigma^2+\cdots+\frac{1}{n^2}\sigma^2=\frac{\sigma^2}{n}
\end{aligned}$$

　この性質の $E(\overline{X})=\mu$ は "標本平均は母平均のまわりに" を意味し，$V(\overline{X})=\sigma^2/n$ は "密集する"（n が大きくなればバラツキが小さくなる）を意味するわけです．

　この大切な事実を標本平均の分布の性質をしてキチンとまとめておきましょう．その前に，標本平均をあらためて定義しておきます．

　$(X_1,X_2,\cdots,X_n)$ をサイズ n の標本とするとき，
$$\overline{X}=\frac{1}{n}\sum_{k=1}^{n}X_k=\frac{X_1+X_2+\cdots+X_n}{n}$$

を，**標本平均**とよびます．

このとき，平均・分散の性質および正規分布の再生性から，次の大切な性質が得られます：

◆ポイント ─────────────────── **標本平均の分布・1** ─

（1） $\bar{X}$ を母平均 μ，母分散 σ^2 の母集団からのサイズ n の標本の標本平均とすれば，

$$E(\bar{X}) = \mu, \quad V(\bar{X}) = \frac{\sigma^2}{n}$$

（2） とくに，母集団が正規母集団 $N(\mu, \sigma^2)$ のとき，

$\bar{X}$ は，正規分布 $N(\mu, \sigma^2/n)$ に従う．

したがって，

$$T = \frac{\bar{X} - \mu}{\sigma/\sqrt{n}} \text{ は，標準正規分布 } N(0,1) \text{ に従う．}$$

▶**注** 先ほどの p.105 の 50 回の実験結果についての平均・分散を計算しますと，平均 = 3.47，分散 = 0.384 となります．これは，$\bar{x}$ の全部（10^5 個）ではなく，50 個だけによる近似の結果だからなのです．

ところが，必ずしも正規母集団とはかぎらない任意の母集団からの標本平均について，次の事実が知られています：

◆ポイント ─────────────────── **中心極限定理** ─

平均 μ，分散 σ^2 の**任意**の母集団についても，標本サイズ n が**十分に大きいとき**には，標本平均 $\bar{X}$ は近似的に正規分布 $N(\mu, \sigma^2/n)$ に従う．したがって，

$$T = \frac{\bar{X} - \mu}{\sigma/\sqrt{n}} \text{ は，近似的に } N(0,1) \text{ に従う．}$$

この "任意の" ということと，標本サイズ n が "十分に大きいとき" というところが大切なのです．

この中心極限定理によって，必ずしも正規分布に従わないさまざまな自然現象・社会現象を，正規分布の理論を用いて解明することが可能になっ

たのです．

標本分散の平均

いままで，標本平均 $\bar{X}$ を取り上げ，その平均 $E(\bar{X})$，分散 $V(\bar{X})$ を考えましたね．

そこで，今度は，標本分散について考えましょう．

いま，$(X_1, X_2, \cdots, X_n)$ を，母平均 μ，母分散 σ^2 の母集団からのサイズ n の標本とします．このとき，この標本から計算した分散

$$S^2 = \frac{1}{n} \sum_{k=1}^{n} (X_k - \bar{X})^2 = \frac{1}{n} \{(X_1 - \bar{X})^2 + \cdots + (X_n - \bar{X})^2\}$$

を，**標本分散**とよびます．この $\bar{X}$ は，もちろん標本平均です．

標本平均 $\bar{X}$ の平均については，

$$E(\bar{X}) = \mu \quad \text{(すべての標本平均の平均は母平均と一致する)}$$

という性質がありました．

それでは，標本分散 S^2 の平均については，$E(S^2) = \sigma^2$ が成立するのでしょうか？

百聞ハ実験ニ如カズ，と申します．手近な例を作ってみましょう．

いま，簡単のため，たとえば，

$$2, 3, 7 \text{ という 3 個の整数から成るミニ母集団}$$

を考えましょう．

この母集団から，復元抽出によってサイズ 2 の標本を抽出します．

すべての標本実現値を左側に，各実現値ごとの分散（標本分散値）を右側の対応する同じ位置に記してみます：

(2,2) ,	(2,3) ,	(2,7)	0.00	0.25	6.25
(3,2) ,	(3,3) ,	(3,7)	0.25	0.00	4.00
(7,2) ,	(7,3) ,	(7,7)	6.25	4.00	0.00

このとき，この 9 個の標本分散値の平均を計算しますと，

$$E(S^2) = \frac{1}{9}(0.00 + 0.25 + \cdots + 4.00 + 0.00) = \frac{7}{3}$$

ところで，母平均・母分散は，

$$\mu = \frac{1}{3}(2+3+7) = 4$$
$$\sigma^2 = \frac{1}{3}\{(2-4)^2+(3-4)^2+(7-4)^2\} = \frac{14}{3}$$

ですから，残念ながら，$E(S^2) = \sigma^2$ は成立しません．

じつは，標本分散の平均について，次の事実が成立します：

◆ポイント ────────────── **標本分散の平均**

平均 μ，分散 σ^2 の任意の母集団からのサイズ n の標本の標本分散を S^2 とすると，その平均は，

$$E(S^2) = \frac{n-1}{n}\sigma^2$$

この性質は，次のように証明されます：

証明 $\displaystyle S^2 = \frac{1}{n}\sum_{k=1}^{n}(X_k - \overline{X})^2$

$\displaystyle \quad\quad = \frac{1}{n}\sum_{k=1}^{n}(X_k^2 - 2X_k\overline{X} + \overline{X}^2)$

$\displaystyle \quad\quad = \frac{1}{n}\sum_{k=1}^{n}X_k^2 - 2\cdot\frac{1}{n}\Big(\sum_{k=1}^{n}X_k\Big)\overline{X} + \overline{X}^2$

$\displaystyle \quad\quad = \frac{1}{n}\sum_{k=1}^{n}X_k^2 - \overline{X}^2 \quad \Big(\overline{X} = \frac{1}{n}\sum_{k=1}^{n}X_k \text{ を用いた}\Big)$

だから，

$\displaystyle E(S^2) = E\Big(\frac{1}{n}\sum_{k=1}^{n}X_k^2 - \overline{X}^2\Big)$

$\displaystyle \quad\quad\;\; = \frac{1}{n}\sum_{k=1}^{n}E(X_k^2) - E(\overline{X}^2)$

$\displaystyle \quad\quad\;\; = \frac{1}{n}\sum_{k=1}^{n}(V(X_k) + E(X_k)^2) - (V(\overline{X}) + E(\overline{X})^2)$

$\displaystyle \quad\quad\;\; = \frac{1}{n}\cdot n(\sigma^2 + \mu^2) - \Big(\frac{\sigma^2}{n} + \mu^2\Big)$

$\displaystyle \quad\quad\;\; = \frac{n-1}{n}\sigma^2 \qquad\qquad\qquad\qquad\square$

> **平方の平均**
> $E(X^2) = V(X) + E(X)^2$

ゼロからゼミナール　　味噌汁をよくかき混ぜたか

●ホテルに泊まると，部屋にアンケート用紙がおいてあります．宿泊客の意見を聞いて，サービス向上の資料に，ということでしょうか．

また，航空会社でも，乗客からサービスの情報を得るためでしょうか，座席のポケットに調査票が入れてあります．

このような情報の集め方は，適切なのでしょうか？

これらのアンケートに答える人はおおむね，ホテルや航空会社に大満足のお客様か，多くの不満をもっている人のどちらかなのです．可もなく不可もないと思っている一般の多くの人は，わざわざアンケートに答えないものです．

このようなアンケートに答える人は，無作為抽出された人ではありません．**サンプルに偏り**が生じてしまいます．

●××大学経済学部 1970 年卒業生平均年収 900 万円 —— 同窓会誌のこんな記事を手ばなしで喜ぶわけにはいきません．

同窓会で住所を把握している人は，多くは定職につき，ある程度の収入のある人たちでしょう．

また，アンケートの答えは，自己申告なのです．税務署へではなく母校同窓会へです．

カッコよく見せたいと思って不思議はないでしょうね．

●これが面接調査ですと，この傾向はさらに顕著になりかねません．

「ガールフレンド何人いますか？」

1 人もいません，とはいいにくいですよね．

「お小遣い毎月いくらですか？」

「あなたの奥様の最終学歴は？」

面接調査ゆえ，事実をそのまま答えるとはかぎらず，質問内容によっては，入社試験の面接にかぎりなく近いものになってしまいます．人間(ひと)は，けっこうウソをつくものです．

標本に偏りは付きものですから，味噌汁は**よくかき混ぜたい**ものです．

[例] 右のような独立な確率変数 $X_1, X_2, \cdots, X_n$ の和
$$X = X_1 + X_2 + \cdots + X_n$$
は，$Bin(n, p)$ に従う．

X_i	1	0	計
P	p	$1-p$	1

$\overline{X} = X/n$ に中心極限定理を用いて，ラプラスの定理 (p.92) を導け．

解 これは，中心極限定理の一つの Version である．
$$E(X_i) = p, \quad V(X_i) = pq \quad (q = 1-p)$$
だから，n が十分に大きいとき，次の式の一番左の項は，中心極限定理により，近似的に $N(0,1)$ に従う：
$$\frac{\overline{X} - p}{\sqrt{pq}/\sqrt{n}} = \frac{X/n - p}{\sqrt{pq}/\sqrt{n}} = \frac{X - np}{\sqrt{npq}}$$

一番右の項も近似的に $N(0,1)$ に従うことから，X は近似的に正規分布 $N(np, npq)$ に従うことが分かる． □

━━━ 練習問題 ━━━

3.1.1 次の数は，乱数として使えるか．
（1） $\sqrt{2}$ の小数第 1001 位から 3500 位まで．
（2） 電話の個人番号 4 桁．
（3） 乗用車のナンバーの 4 桁数字．

3.1.2 ある都市の成人 200 人から成る標本を抽出するのに，その都市の全世帯から 200 世帯を無作為抽出し，各世帯から成人 1 人を無作為抽出した．このサンプリングは適切か．

3.1.3 乱数表により，47 都道府県からサイズ 10 の標本を抽出せよ．

3.1.4 4 個の整数 2, 3, 6, 9 から成る母集団と，そこから復元抽出によるサイズ 2 の標本を考える．
（1） 母平均 μ・母分散 σ^2 を求めよ．
（2） $E(\overline{X}) = \mu, V(\overline{X}) = \sigma^2/2$ を確かめよ．

3.1.5 正規母集団 $N(\mu, \sigma^2)$ からのサイズ n の標本の標本平均 $\overline{X}$ について，$P(|\overline{X} - \mu| < \sigma/4) \geqq 0.95$ となる最小の n を求めよ．

3.2. 小学生の身長を推測する法

母平均の推定・1

たとえば,愛知県の6才児(小学校新入生)男子の平均身長が必要になったとしましょう.

そのため,900人を標本抽出したところ,

$$平均\ \bar{x}=116.4\ \mathrm{cm}$$

でした.また,過去の資料から,同県小学校新入生男子の身長は,標準偏差 $\sigma=5.0\ \mathrm{cm}$ の正規分布に従うと考えられます.

さあ,このとき,平均身長 μ は,いくらくらいなのでしょうか?

このとき,頼りになるのは,正規母集団 $N(\mu,\ \sigma^2)$ からのサイズ n の標本の標本平均 $\bar{X}$ についての次の性質です:

$$T=\frac{\bar{X}-\mu}{\sigma/\sqrt{n}}\ は,標準正規分布\ N(0,1)\ に従う$$

この事実から,たとえば,次の等式が得られます:

$$P\left(\left|\frac{\bar{X}-\mu}{\sigma/\sqrt{n}}\right|\leq 1.96\right)=0.95 \qquad (*)$$

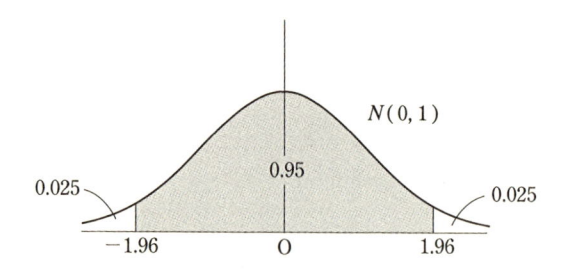

この意味を説明しましょう.

標本平均 $\bar{X}$ は,各標本ごとに少しずつ異なった値を取るでしょう.
この $\bar{X}$ が,たとえば,116.0,116.7,… と,いろいろな値を取れば,

$$\left|\frac{116.0-\mu}{\sigma/\sqrt{n}}\right|\leq 1.96,\ \left|\frac{116.7-\mu}{\sigma/\sqrt{n}}\right|\leq 1.96,\ \cdots\cdots$$

といういろいろな不等式ができますが，この中には，成立するものも，成立しないものもあるでしょう．これら無数に多くの不等式のうち，
$$\text{成立するものは95\%}$$
だというのが，上の等式（＊）の主張なのです．

ところで，標本調査で，$\bar{x}=116.4\,\text{cm}$ でしたね．この（実現）値を代入すると，不等式
$$\left|\frac{116.4-\mu}{\sigma/\sqrt{n}}\right|\leq 1.96$$
が得られます．$n=900$, $\sigma=5.0$ のとき，この不等式は成立するのでしょうか．それとも，成立しないのでしょうか．それは，神のみぞ知るです．われわれ人間は，上の考察から，この不等式に 95％ の信頼性をもつことができる，と考えることしかできません．

この不等式を，本当に知りたい母平均 μ について解きますと，
$$116.4-1.96\times\frac{\sigma}{\sqrt{n}}\leq\mu\leq 116.4+1.96\times\frac{\sigma}{\sqrt{n}}$$
ところが，ありがたいことに，
$$\text{標本サイズ } n=900, \quad \text{標準偏差 } \sigma=5.0$$
が分かっていますから，この式へ代入しますと，
$$116.4-1.96\times\frac{5.0}{\sqrt{900}}\leq\mu\leq 116.4+1.96\times\frac{5.0}{\sqrt{900}}$$
$$\therefore \quad 116.4-0.33\leq\mu\leq 116.4+0.33$$
したがって，求める母平均（平均身長）μ は，
$$116.0\leq\mu\leq 116.8 \quad (\text{cm})$$
の範囲に入っていることが 95％ 確からしいことが分かりました．

この母平均 μ の範囲を，μ の**信頼度** 95％ の**信頼区間**とよびます．また，右端の 116.8 を**信頼上界**，左端の 116.0 を**信頼下界**とよび，両者を総称して**信頼限界**とよびます．

▶注 $\bar{X}$ のように統計量（標本 $X_1, X_2, \cdots, X_n$ の関数）には大文字を，その取る値（実現値）には，対応する小文字 $\bar{x}$ を使います．

以上のことを公式としてまとめておきます：

―― ◆ポイント ―――――― 母平均の信頼区間（母分散既知）――

（1） 母平均 μ 未知，母分散 σ^2 既知の正規母集団からのサイズ n の標本による標本平均を $\overline{X}$ とすれば，母平均 μ の信頼度 95％の信頼区間は，

$$\bar{x} - 1.96 \times \frac{\sigma}{\sqrt{n}} \leq \mu \leq \bar{x} + 1.96 \times \frac{\sigma}{\sqrt{n}}$$

ただし，$\bar{x}$ は $\overline{X}$ の実現値.

（2） 正規母集団でなくても，標本サイズ n が**十分に大きい**ならば，中心極限定理によって，母平均 μ は上と同一の信頼区間をもつ.

▶注　信頼度と $\dfrac{\sigma}{\sqrt{n}}$ の係数の関係は，

　　　　95％ ⟶ 1.96　　　99％ ⟶ 2.58

となります．さらに，99.999943％ → 5.00，100％ → $+\infty$ のように，信頼度を高くしようとすると，信頼区間は広くなってしまいます．ふつう，信頼度としては，95％，ときに 99％が慣例になっています．

［例］　ある農園からリンゴ 9 個を無作為抽出したら，

　　　373, 415, 391, 402, 423, 410, 382, 394, 399　（g）

であった．永年の資料から，この農園のリンゴの重さは，標準偏差 16 g の正規分布に従うと考えられる．母平均 μ の信頼度 95％の信頼区間を求めよ．

解　標本平均 $\overline{X}$ の実現値 $\bar{x}$ は，

$$\bar{x} = \frac{1}{9}(373 + 415 + \cdots + 399) = 398.8 \quad (\text{g})$$

したがって，求める信頼区間は，

$$398.8 - 1.96 \times \frac{16}{\sqrt{9}} \leq \mu \leq 398.8 + 1.96 \times \frac{16}{\sqrt{9}}$$

$$398.8 - 10.5 \leq \mu \leq 398.8 + 10.5$$

ゆえに，

$$388.3 \leq \mu \leq 409.3 \quad (\text{g}) \qquad \square$$

[**例**] ある地方の 6 才児男子 945 人を標本抽出し，体重を測定したら，平均体重 21.4 kg であった．過去の資料から，標準偏差は 2.9 kg と考えられる．この地方の 6 才児男子の平均体重 μ の信頼度 95 ％の信頼区間を求めよ．また，信頼度 99 ％の場合はどうなるか．

解 体重分布は，必ずしも正規分布と認められなくても，標本サイズ $n=945$ は**十分に大きい**ので，母平均の 95 ％信頼区間は，

$$21.4-1.96\times\frac{2.9}{\sqrt{945}} \leq \mu \leq 21.4+1.96\times\frac{2.9}{\sqrt{945}}$$

$$21.4-0.18 \leq \mu \leq 21.4+0.18$$

$$\therefore \quad 21.2 \leq \mu \leq 21.6 \quad (\text{kg})$$

また，信頼度 99 ％の場合は，

$$21.4-2.58\times\frac{2.9}{\sqrt{945}} \leq \mu \leq 21.4+2.58\times\frac{2.9}{\sqrt{945}}$$

$$21.4-0.24 \leq \mu \leq 21.4+0.24$$

$$\therefore \quad 21.1 \leq \mu \leq 21.7 \quad (\text{kg}) \quad \square$$

母平均の推定・2

ある電器メーカーは，蛍光灯の画期的新製法を開発したと発表しました．

そこで，新製品から，12 本を無作為抽出し，その耐久時間(寿命)を測定しました．結果は，次の通りです：

1320	1160	1100	1290	1400	1530
1150	1180	1510	1290	1040	1390 (時間)

このとき，新製品の平均寿命は，何時間くらいになるのでしょうか？

現在および未来にこの製法で製造される蛍光灯の寿命の全体というものを想定し，これを母集団とするわけです．この母分布は，正規分布と考えておきましょう．

ところで，この蛍光灯は新製品ですから，過去の資料などなく，

$$\text{母分散 } \sigma^2 \text{ は未知}$$

なのです．ですから，残念ながら，先ほどの小学生の平均身長の場合のよ

うに，

$$T = \frac{\overline{X} - \mu}{\sigma/\sqrt{n}}$$

という統計量を使うことができません．μ の信頼区間の公式

$$\overline{X} - 1.96 \times \frac{\sigma}{\sqrt{n}} < \mu < \overline{X} + 1.96 \times \frac{\sigma}{\sqrt{n}}$$

の σ が分からないのですから．

　さあ，どうしたらよいでしょうか？

　ここで，一つの案が浮かびます．

　それは，母分散 σ^2 が不明ならば，仕方がないから，

　　　　母分散 σ^2 の代用品として，標本分散 S^2 を使う

というものです．そうですね．新幹線のぞみの最終列車発車後でも在来線や夜行バスがありますものね．

　母分散 σ^2 を標本分散 S^2 で代用しよう！——確かに good idea ですが，じつは，標本サイズ n がある程度大きい（$n \geq 30$ くらいの）ときは，実用上 σ^2 を S^2 を代用してもかまわないのですが，いま考えている蛍光灯の例の $n=12$ のような場合は，代用は無理なのです．

　なぜか？

　それは，標本分散 S^2 の方が母分数の σ^2 より**小さくなる傾向**があるからです．しかも，標本サイズ n が小さいときほど，その傾向が強いのです．

　読者のみなさんは，お忘れになっておられるかもしれませんが，この事実は，すでに，学習ずみなのです．

　「えっ？」とお思いの方は，p.108～109 をご覧下さい．

　2, 3, 7 という 3 個の整数から成る母集団を考えましたね．母分散 σ^2，およびサイズ 2 の標本による標本分散 S^2 は，次を満たすのでした：

$$\sigma^2 = \frac{14}{3}, \quad E(S^2) = \frac{7}{3}$$

各標本値ごとに，標本分散 S^2 も少しずつ変わるでしょうが，これらすべての標本分散の平均は 7/3 で，母分散 14/3 には一致しません．

一般のサイズ n の標本による標本分散は，
$$E(S^2) = \frac{n-1}{n}\sigma^2 \quad (*)$$
となるのでしたね．標本分散 S^2 全部の平均は，母分散 σ^2 より小さくなってしまうのです．

これが，σ^2 の代用品として，S^2 が適当でない理由なのです．

それでは，もう夢も希望もないのでしょうか．

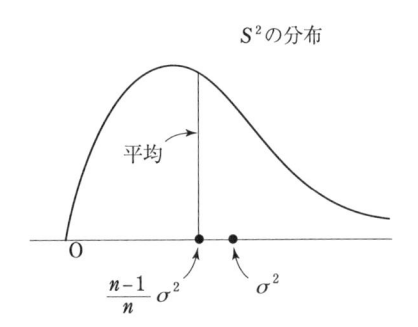

そんなことはありません．青い鳥は意外と身近にいるものです．

上の $(*)$ という式を，よくよくご覧下さい．

そして，この $(*)$ の両辺に，$\dfrac{n}{n-1}$ を掛けてみて下さい：
$$E\left(\frac{n}{n-1}S^2\right) = \sigma^2$$
という等式が得られますね．この等式は何を意味するのでしょうか？

$\dfrac{n}{n-1}S^2$ の平均が σ^2 になるのだ —— $\dfrac{n}{n-1}S^2$ は σ^2 の代用品になれる！ということなのです．やった！と大声で叫びたい気持ちですね．

じつは，この
$$\frac{n}{n-1}S^2 = \frac{n}{n-1}\frac{1}{n}\sum_{k=1}^{n}(X_k - \overline{X})^2 = \frac{1}{n-1}\sum_{k=1}^{n}(X_k - \overline{X})^2$$
には"不偏分散"という立派な名前が付いているのです．標本分散 S^2 の分母の n が $n-1$ に変わっただけの式です．

そこで，あらためて定義式を記しておきましょう．

いま，$(X_1, X_2, \cdots, X_n)$ を，サイズ n の標本とするとき，
$$U^2 = \frac{1}{n-1}\sum_{k=1}^{n}(X_k - \overline{X})^2$$
を，この標本の**不偏分散**とよびます．ただし，$\overline{X}$ は標本平均です．

さあ，それでは，いよいよ，母平均 μ の信頼区間を求める番です．

先ほど，小学校新入生の身長の信頼区間を求めるとき使った根拠は，次の事実でした：

$$T=\frac{\overline{X}-\mu}{\sigma/\sqrt{n}} \text{ は, } N(0,1) \text{ に従う}$$

ですから，今度は，この中の σ の代わりによく似た U を使えば，

$$T=\frac{\overline{X}-\mu}{U/\sqrt{n}} \text{ は, } N(0,1) \text{ によく似た分布に従う}$$

ハズですよね．じつは，この "$N(0,1)$ によく似た分布" というのは，よく知られ，よく研究され，t 分布という名前まで付いているのです．

▶注　ここでご紹介することはできませんが，この t 分布は自然現象・社会現象の分布ではなく，イギリスの統計学者 W. S. Gosset（筆名 Student）のすばらしい着想によって提案された理論分布なのです．

それでは，t 分布が標準正規分布と本当に似ているのか，グラフをお目に掛けましょう．

じつは，この t 分布は，標本サイズ n の値によって少しずつ微妙に形が違うのです．そして，標本サイズ n から 1 を引いた値 $k=n-1$ をこの分布の**自由度**とよびます：

$$\text{自由度}=(\text{標本サイズ})-1$$

いろいろな自由度 k について，t 分布の密度曲線は，下のようになります：

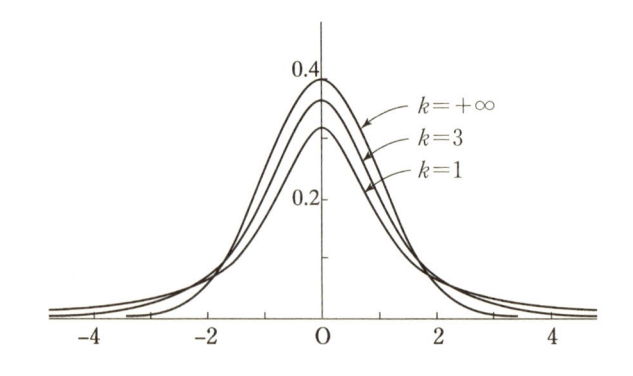

いかがでしょうか．じつによく似ていますね．

自由度 k が大きいとき —— $k \geq 30$ 程度のとき —— は，t 分布は標準正規分布とほとんど区別が付きません．

事実，$k = +\infty$ のとき t 分布は $N(0, 1)$ と完全に一致し，自由度 k が小さくなるに従って，頭が低く，すそが広くなっていきます．

申し遅れましたが，自由度 k の t 分布を ── 正規分布を $N(\mu, \sigma^2)$ と記すように ── ふつう $t(k)$ と記します．また "自由度" の意味については，後ほどあらためてお話しいたしましょう．

▶注　自由度 k の t 分布の密度関数は，$k \geq 3$ のとき，

$$f(x) = \begin{cases} \dfrac{1}{2\sqrt{k}} \dfrac{1 \cdot 3 \cdot 5 \cdots (k-1)}{2 \cdot 4 \cdot 6 \cdots (k-2)} \left(1 + \dfrac{x^2}{k}\right)^{-\frac{k+1}{2}} & (k : \text{偶数}) \\ \dfrac{1}{\pi\sqrt{k}} \dfrac{1 \cdot 3 \cdot 5 \cdots (k-1)}{2 \cdot 4 \cdot 6 \cdots (k-2)} \left(1 + \dfrac{x^2}{k}\right)^{-\frac{k+1}{2}} & (k : \text{奇数}) \end{cases}$$

のようにかけます．

この式の $\left(1 + \dfrac{x^2}{k}\right)^{-\frac{k+1}{2}}$ の前に付いている係数は，曲線と横軸の間の面積を 1 にするための "単なる定数" にすぎません．式の複雑さに恐怖を感ずる必要はありません．

密度関数は，そのグラフの概形と特徴を頭に入れておくだけで十分なのです．

名曲に出会ったら，まずその曲をじっくり聴くことです．難しい譜面に圧倒されるのは愚かです．かの美空ひばりさんは楽譜が読めなかったというではありませんか．

巻末に，t 分布のパーセント点の表があります．$t(k)$ の上側 100α％点を，図のように，

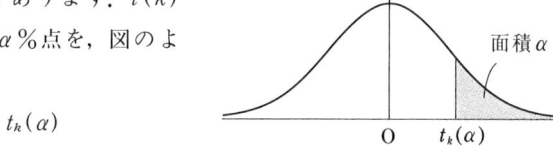

$$t_k(\alpha)$$

と記します．

第 3 章 ◎ ゼロから学ぶ推測統計

さて，t分布の解説が入ってしまいましたが，ここまで来れば，もう母平均 μ の信頼区間は，求められたも同然です．ポイントは，

◆ポイント ────────────── **標本平均の分布・2** ──

U^2 を正規母集団 $N(\mu,\sigma^2)$ からのサイズ n の標本の不偏分散とするとき，

$$T=\frac{\overline{X}-\mu}{U/\sqrt{n}}\ \text{は，自由度 } n-1 \text{ の } t \text{ 分布に従う．}$$

要領は，先ほどの小学生の平均身長の場合と同様です．

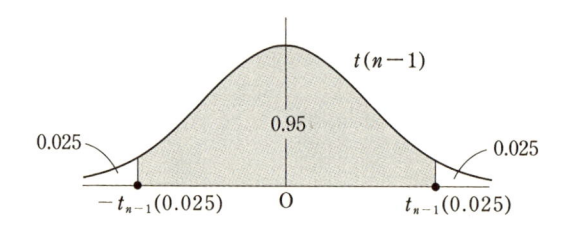

この図を参考にしますと，

$$P\left(-t_{n-1}(0.025)\leq \frac{\overline{X}-\mu}{U/\sqrt{n}} \leq t_{n-1}(0.025)\right)=0.95$$

この P の中味の不等式を母平均 μ について解きますと，

$$\overline{X}-t_{n-1}(0.025)\frac{U}{\sqrt{n}}\leq \mu \leq \overline{X}+t_{n-1}(0.025)\frac{U}{\sqrt{n}}$$

これが，欲しかった母平均 μ の信頼度 95 % の信頼区間です．

それでは，さっそく，問題の蛍光灯の平均寿命 μ についてやってみましょう．標本値は，次の 12 個でした：

　　　1320　1160　1100　1290　1400　1530
　　　1150　1180　1510　1290　1040　1390　（時間）

これから，標本平均 $\overline{X}$，不偏分散 U^2 を計算しますと，その実現値は，

$$\bar{x}=1280$$

$$u^2=\frac{1}{12-1}\{(1320-1280)^2+\cdots+(1390-1280)^2\}=25000$$

$$\therefore \quad u = 158.1$$

また,標本サイズ $n=12$ より,自由度 $k=n-1=12-1=11$.
t 分布表 (p.202) より,

$$t_{11}(0.025) = 2.20$$

必要な数値がすべて揃ったので,上の公式へ代入します:

$$1280 - 2.20 \times \frac{158.1}{\sqrt{12}} \leq \mu \leq 1280 + 2.20 \times \frac{158.1}{\sqrt{12}}$$

$$\therefore \quad 1280 - 100.4 \leq \mu \leq 1280 + 100.4$$

こうして,求める母平均(平均寿命)の信頼区間は,

$$1179 \leq \mu \leq 1381 \quad (時間)$$

以上の結果を公式としてまとめておきます:

◆ポイント ─── **母平均の信頼区間(母分散未知)**

母分散未知の正規母集団からのサイズ n の標本の標本平均を $\bar{X}$,不偏分散を U^2 とすれば,母平均 μ の信頼度 95 % の信頼区間は,

$$\bar{x} - t_{n-1}(0.025)\frac{u}{\sqrt{n}} \leq \mu \leq \bar{x} + t_{n-1}(0.025)\frac{u}{\sqrt{n}}$$

ただし,$\bar{x}$, u は,それぞれ,$\bar{X}$, U の実現値.

[例] ある製パン会社 W で,新製品イギリス風パンの重さを短時間で検査するために,15 本を無作為抽出したら,平均 607.1 g,標準偏差 12.1 g であった.母平均 μ の 95 % 信頼区間を求めよ.

解 $\bar{x} = 607.1$, $u^2 = \dfrac{n}{n-1}s^2 = \dfrac{15}{15-1} \times 12.1^2 = 12.5^2$

自由度 $= n-1 = 14$, $t_{14}(0.025) = 2.15$

したがって,求める母平均の信頼区間は,

$$607.1 - 2.15 \times \frac{12.5}{\sqrt{15}} \leq \mu \leq 607.1 + 2.15 \times \frac{12.5}{\sqrt{15}}$$

$$\therefore \quad 607.1 - 6.94 \leq \mu \leq 607.1 + 6.94$$

$$\therefore \quad 600.1 \leq \mu \leq 614.1 \quad (g)$$

ゼロからゼミナール　数字によるトリック

　2001年11月，政府与党社会保障改革協議会は，事実上2003年度から，社会保険，医療費患者本人の現行2割負担を3割に引き上げる方針を打ち出しました．
　2割→3割で，1.5倍に引き上げられるのですから，じつに，

> 本人負担50％増

なのです．食料品・交通運賃・チケット代・…という日常物価がいくら値上げになっても，一度に50％アップすることは，まずありません．
　ところが，2割→3割で，3割－2割＝1割＝10％ですから，同じことでも"丸い卵も切りようで四角"で，

> 本人負担10％増

といえば，受ける印象はずいぶん違いますね．

練習問題

3.2.1 近年，小中高校生の体位向上はいちじるしい．
　ある都市で，中学校新入生女子150人を無作為に選んだところ，平均身長152.2 cmであった．中学校新入生女子全体の平均身長を信頼度95％で推定せよ．ただし，過去の資料から，標準偏差は6.2 cmくらいと見なせる．
　また，平均身長を誤差0.5 cm以内で推定するのには，何人くらいの生徒を抽出しなければならないか．

3.2.2 次は，八重山列島のタイワンカブトというカブトムシ（♀）8匹の体長である．母平均 μ の95％信頼区間を求めよ．

　　　　35, 39, 41, 34, 44, 35, 31, 37　（mm）

3.3. 新製品の寿命のバラツキを知る法

カイ二乗分布

母平均 μ の推定に引き続いて，母分散 σ^2 について考えましょう．

母平均の推定で活躍した分布は，標準正規分布 $N(0,1)$ と t 分布 $t(k)$ でしたね．

今度の母分散 σ^2 の推定で用いる分布は，"カイ二乗分布" という新しい分布です．

それでは，この分布のお話からはじめましょう．

■ポイント ────────────── χ^2 分布 ─

$X_1, X_2, \cdots, X_k$ が，**独立に**標準正規分布 $N(0,1)$ に従うとき，これらの平方和

$$X = X_1^2 + X_2^2 + \cdots + X_k^2$$

の分布を，自由度 k の **χ^2 分布**とよび，$\chi^2(k)$ と記す．

χ はギリシア文字で "カイ" と読みますので，χ^2 分布は "カイジジョウブンプ" と読みます．

たとえば，自由度 $k=1, 2, 4$ の場合を図示してみましょう．

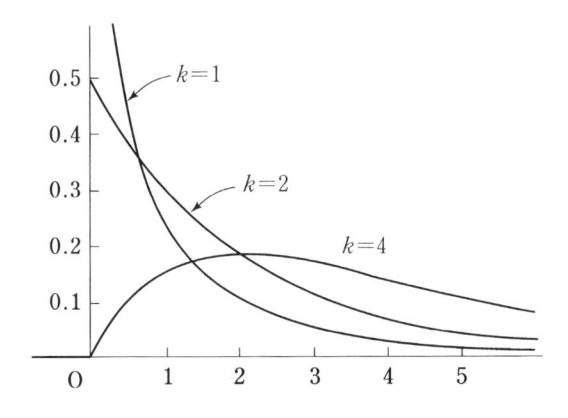

▶**注** 参考までに，χ^2 分布の密度関数を記しておきましょう：

$$f(x) = \begin{cases} A_k \cdot \left(\dfrac{x}{2}\right)^{\frac{k}{2}-1} e^{-\frac{1}{2}x} & (x > 0) \\ 0 & (x \leq 0) \end{cases}$$

ただし，係数 A_k は自由度 k の偶奇によって次の形をとります：

$$A_k = \begin{cases} \dfrac{1}{2} \dfrac{2}{2} \dfrac{2}{4} \dfrac{2}{6} \cdots \dfrac{2}{k-2} & (k : 偶数) \\ \dfrac{1}{2\sqrt{\pi}} \dfrac{2}{1} \dfrac{2}{3} \dfrac{2}{5} \cdots \dfrac{2}{k-2} & (k : 奇数) \end{cases}$$

また，平均 $E(X) = k$，モード $M_o(X) = k-2$ が知られています．ですから曲線は，左に偏り，右へすそを広くしています．t 分布のときも申し上げましたように，こういう曲線の特徴をつかんでいただくだけで，けっこうなのです．

なお，上側 $100\alpha\%$ 点を $\chi_k^2(\alpha)$ と記すことも，t 分布の場合と同様です．

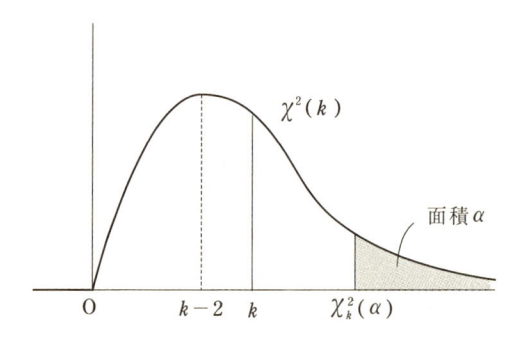

さて，ふつう ○○ 分布という分布は，ほとんど —— 二項分布も正規分布も —— 典型的な自然現象・社会現象を抽象して（理想化して）得られたものです．ところが，この χ^2 分布は先の t 分布，後に 4.2 節で登場する F 分布と同様に，統計に関するいろいろな問題を整理解決するために考え出された人工的な理論分布なのです．

それでは，この χ^2 分布の性質を少し述べておきます．

まず，χ^2分布は**再生性**をもつことを指摘しておきます．これは，

$$\left.\begin{array}{l} X \text{ は } \chi^2(k) \text{ に従う} \\ Y \text{ は } \chi^2(l) \text{ に従う} \\ X, Y \text{ は，独立} \end{array}\right\} \Longrightarrow X+Y \text{ は } \chi^2(k+l) \text{ に従う}$$

という性質ですが，一般に，n個の場合にも成立します．

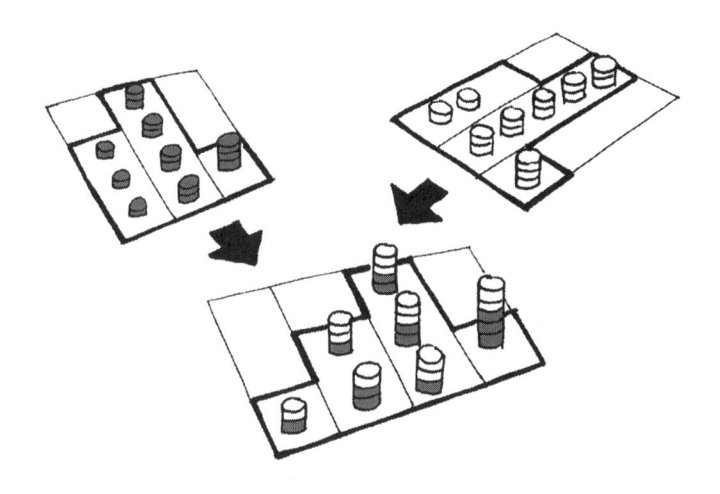

さて，$X_1, X_2, \cdots, X_n$は独立で，どれも正規分布$N(\mu, \sigma^2)$に従うとしましょう．このとき，これらを標準化した

$$\frac{X_1-\mu}{\sigma}, \frac{X_2-\mu}{\sigma}, \cdots, \frac{X_n-\mu}{\sigma}$$

は，独立で，すべて$N(0,1)$に従いますから，χ^2分布の意味から，これらの平方和を考えますと，

$$\frac{1}{\sigma^2}\sum_{i=1}^{n}(X_i-\mu)^2 \text{ は，自由度 } n \text{ の } \chi^2 \text{ 分布に従う}$$

ことが分かります．

また，上の$X_1, X_2, \cdots, X_n$の平均を$\overline{X}$としますと，

$$\frac{\overline{X}-\mu}{\sigma/\sqrt{n}} \text{ は，} N(0,1) \text{ に従う}$$

ことは，もうおなじみの性質ですね．ですから，この平方を考えますと，

$$\frac{(\overline{X}-\mu)^2}{\sigma^2/n} \text{ は，自由度 } 1 \text{ の } \chi^2 \text{ 分布に従う}$$

ことも分かります．

ところが，これから，母分散 σ^2 の推定に必要なのは，不明な母平均 μ を標本平均 $\overline{X}$ でおきかえた次の性質なのです：

◆ポイント ─────────────────── χ^2 分布の性質

$X_1, X_2, \cdots, X_n$ は独立で，どれも正規分布 $N(\mu, \sigma^2)$ に従うとき，

$$\frac{1}{\sigma^2} \sum_{i=1}^{n} (X_i - \overline{X})^2 \text{ は，自由度 } n-1 \text{ の } \chi^2 \text{ 分布に従う．}$$

この性質の証明には，多少の準備が必要ですので，ここでは，証明は省略しますが，次の式をご覧下さい：

$$\frac{1}{\sigma^2} \sum_{i=1}^{n} (X_i - \mu)^2$$
$$= \frac{1}{\sigma^2} \sum_{i=1}^{n} (X_i - \overline{X} + \overline{X} - \mu)^2$$
$$= \frac{1}{\sigma^2} \sum_{i=1}^{n} (X_i - \overline{X})^2 + \frac{2}{\sigma^2} (\overline{X} - \mu) \sum_{i=1}^{n} (X_i - \overline{X}) + \frac{n}{\sigma^2} (\overline{X} - \mu)^2$$

この中央の項は，$\sum_{i=1}^{n} (X_i - \overline{X}) = 0$ ですから，次の式が得られます：

$$\underbrace{\frac{1}{\sigma^2} \sum_{i=1}^{n} (X_i - \mu)^2}_{\chi^2(n) \text{ に従う}} = \underbrace{\frac{1}{\sigma^2} \sum_{i=1}^{n} (X_i - \overline{X})^2}_{? \text{ に従う}} + \underbrace{\frac{(\overline{X} - \mu)^2}{\sigma^2/n}}_{\chi^2(1) \text{ に従う}}$$

ここで，χ^2 分布の再生性を思い出しますと，

$$\frac{1}{\sigma^2} \sum_{i=1}^{n} (X_i - \overline{X})^2 \text{ は，} \chi^2(n-1) \text{ に従う}$$

ことに違和感はなく，むしろ期待感がもてるのではないでしょうか．

ここで，いい機会ですから〝自由度″について一言ふれておきましょう．

n 個の確率変数 $X_1, X_2, \cdots, X_n$ は，独立ですから，

$\sum_{i=1}^{n}(X_i-\mu)^2$ の n 個の $X_1-\mu, X_2-\mu, \cdots, X_n-\mu$ は独立ですが,

$\sum_{i=1}^{n}(X_i-\overline{X})^2$ の場合，n 個の $X_1-\overline{X}, X_2-\overline{X}, \cdots, X_n-\overline{X}$ の合計は 0 ですから，自由に決められるのは $n-1$ 個で，残る一つは必然的に決まってしまいます．これを，自由度 $n-1$ と考えてはいかがでしょうか．

ここまで来れば，母分散の推定は，母平均の推定のときと同じ要領をくり返すだけですから，すぐできてしまいます．

$(X_1, X_2, \cdots, X_n)$ を，正規母集団からのサイズ n の標本とします．

このとき，上で述べたように，
$$T=\frac{nS^2}{\sigma^2}=\frac{1}{\sigma^2}\sum_{i=1}^{n}(X_i-\overline{X})^2$$
は，自由度 $n-1$ の χ^2 分布に従います．

標本分散
$$S^2=\frac{1}{n}\sum_{i=1}^{n}(X_i-\overline{X})^2$$

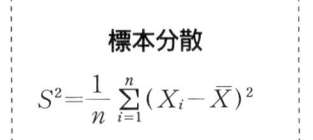

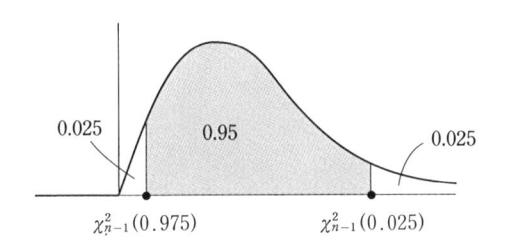

図を参考にしますと，
$$P\left(\chi^2_{n-1}(0.975) \leq \frac{nS^2}{\sigma^2} \leq \chi^2_{n-1}(0.025)\right)=0.95$$

この P の中味の不等式を母分散 σ^2 について解きますと，
$$\frac{nS^2}{\chi^2_{n-1}(0.025)} \leq \sigma^2 \leq \frac{nS^2}{\chi^2_{n-1}(0.975)}$$

これが，母分散 σ^2 の信頼度 95% の信頼区間です．

それでは，先ほどの電器メーカーの蛍光灯の問題をもう一度取り上げてましょう．t 分布を利用して母平均 μ の信頼区間を求めたのでしたが，今度は，母分散 σ^2 の信頼区間を求めます．

サイズ12の標本値は，次のようでした：

  1320 1160 1100 1290 1400 1530

  1150 1180 1510 1290 1040 1390 （時間）

まず，$n=12$，自由度 $k=n-1=11$ であって，

$$\bar{x}=1280$$
$$ns^2=(1320-1280)^2+(1160-1280)^2+\cdots$$
$$\cdots+(1390-1280)^2=275000$$

p.203 の χ^2 分布表から，

$$\chi^2_{11}(0.025)=21.9, \quad \chi^2_{11}(0.975)=3.82$$

ですから，前ページの公式へこれらをそっくり代入しますと，

$$\frac{275000}{21.9} \leq \sigma^2 \leq \frac{275000}{3.82}$$

したがって，求める母分散の信頼度95%の信頼区間は，

$$12557 \leq \sigma^2 \leq 71990 \quad (\text{cm}^2)$$

▶注 信頼区間の幅が広いのは，標本サイズ12が小さいからです．信頼度を低く，たとえば，90%に落としますと，わずかに狭くなります：

$$13973 \leq \sigma^2 \leq 60176$$

公式として，まとめておきます．

◆ポイント   **母分散の信頼区間**

 母平均未知の正規母集団からのサイズ n の標本の標本分散を S^2 とすれば，母分散 σ^2 の信頼度95%の信頼区間は，

$$\frac{ns^2}{\chi^2_{n-1}(0.025)} \leq \sigma^2 \leq \frac{ns^2}{\chi^2_{n-1}(0.975)}$$

ただし，s^2 は S^2 の実現値．

母比率の推定

 もうだいぶ以前から，子どものムシ歯が多くなった，という声をよく聞きます．

 食後の歯磨きを怠っているからでしょうか？

 わが家の2匹の愛犬は，ムシ歯は1本もなく，すこぶる元気ですが，愛

犬が食後に歯を磨いている姿を見たことがありません．

どこで見たか忘れてしまいましたが，江戸時代の人のムシ歯保有率は，ほんの2～3％だったそうです．

ムシ歯の本当の原因は，ブラッシング以前のこの私たちの食生活・生活環境そのものにあるよう思えてなりません．

さて，ある地方都市の小学生520人を無作為抽出したら，そのうち197人がムシ歯（未処置要治療）をもっていました．

この調査結果から，この都市の小学生のムシ歯保有率（母比率）pを推測できないものでしょうか．

抽出された$n=520$人の個々の小学生がムシ歯をもっているかどうかは，互いに独立で，その確率が母比率pと考えてよいでしょう．

いいかえれば，n人中ムシ歯のある小学生の人数Xは，$Bin(n,p)$に従うわけです．そして，$n=520$は，十分に大きいので，二項分布は同じ平均・分散の正規分布で近似されますから（ラプラスの定理），

$$X \text{ は近似的に } N(np, np(1-p)) \text{ に従う}$$

ことが分かります．したがって，

$$\text{標本比 } \bar{p} = \frac{X}{n} \text{ は，近似的に } N\left(p, \frac{p(1-p)}{n}\right) \text{ に従う}$$

ことになり，このことから，

$$T = \frac{\bar{p} - p}{\sqrt{\dfrac{p(1-p)}{n}}} \text{ は，標準正規分布 } N(0,1) \text{ に従う}$$

ことが出てきます．こうなれば，シメタもの，いつものように，

$$P\left(-1.96 \leq \frac{\bar{p}-p}{\sqrt{p(1-p)/n}} \leq 1.96\right) = 0.95$$

が得られますから，Pの中味の不等式から，

$$\bar{p} - 1.96\sqrt{\frac{p(1-p)}{n}} \leq p \leq \bar{p} + 1.96\sqrt{\frac{p(1-p)}{n}}$$

こうして，母比率pの信頼度95％の信頼区間が求まりました，といいたいところですが，喜ぶのはまだ早いのです．この式をよくご覧下さい．

$\sqrt{}$ の中に p 自身が入っている！

ではありませんか．

どうしましょう．

こんなとき，あわててはいけません．標本サイズ n が十分に大きいのですから，母比率 ≒ 標本比 です．そこで，$\sqrt{}$ の中の p を $\bar{p}$ で代用するのです．天然うなぎも養殖の味も，そう変わらないでしょう．

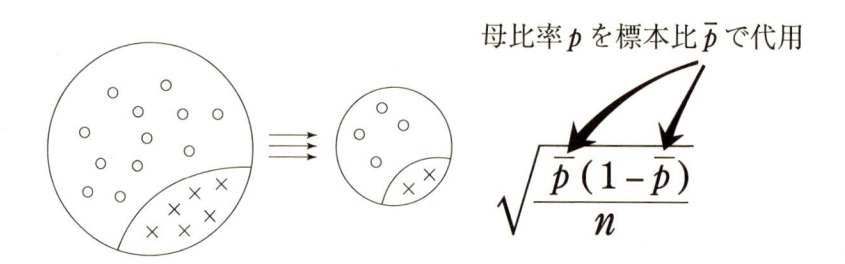

母比率 p を標本比 $\bar{p}$ で代用

$$\sqrt{\frac{\bar{p}(1-\bar{p})}{n}}$$

したがって，p の信頼区間は，

$$\bar{p} - 1.96\sqrt{\frac{\bar{p}(1-\bar{p})}{n}} \leq p \leq \bar{p} + 1.96\sqrt{\frac{\bar{p}(1-\bar{p})}{n}}$$

そこで，小学生のムシ歯保有率 p は，

$$\bar{p} = \frac{197}{520} = 0.38, \quad 1 - \bar{p} = 0.62$$

より，

$$0.38 - 1.96\sqrt{\frac{0.38 \times 0.62}{520}} \leq p \leq 0.38 + 1.96\sqrt{\frac{0.38 \times 0.62}{520}}$$

$$\therefore \quad 0.38 - 0.042 \leq p \leq 0.38 + 0.042$$

したがって，

$$0.33 \leq p \leq 0.43$$

これが，求める母比率の 95％信頼区間です．

上の公式をまとめておきましょう．

> **◆ポイント** ━━━━━━━━━━━━━━━━ **母比率の信頼区間** ━━━
>
> サイズ n の標本のうち性質 A をもつものが x 個あったとするとき,性質 A の母比率 p の信頼度 95％ の信頼区間は,
>
> $$\bar{p} - 1.96\sqrt{\frac{\bar{p}(1-\bar{p})}{n}} \leq p \leq \bar{p} + 1.96\sqrt{\frac{\bar{p}(1-\bar{p})}{n}}$$
>
> ただし,$\bar{p} = \dfrac{x}{n}$ は標本比で,n は十分に大きいものとする.

次の例をご覧下さい:

[**例**] 1997年12月16日,アニメ番組〝ポケモン〞(テレビ東京系)は,身体異常を訴える視聴者も出るほど強烈な内容であったが,人気も高かった.

ある地方で,240人の小学生に聞いたら41人がこの番組を見ていた.

(1) この地方の視聴率 p を信頼度 95％ で推定せよ.

(2) 視聴率 p を標本比で推定したときの誤差が 3％ 以下である確率を 0.95 にしたい.およそ何人の小学生を調査する必要があるか.

解 $n = 240$,$x = 41$,$\bar{p} = \dfrac{x}{n} = \dfrac{41}{240} = 0.171$

(1) 信頼限界(信頼区間の上端・下端)は,

$$\bar{p} \pm 1.96\sqrt{\frac{\bar{p}(1-\bar{p})}{n}} = 0.171 \pm 1.96\sqrt{\frac{0.171 \times 0.829}{240}}$$

$$= 0.171 \pm 0.048$$

ゆえに,求める母比率 p の信頼区間は,

$$0.123 \leq p \leq 0.219$$

(2) サイズ n の標本でも,$\bar{p} \fallingdotseq 0.171$ と考えられるから,

$$誤差 = |p - \bar{p}| \leq 1.96\sqrt{\frac{0.171 \times 0.829}{n}} \leq 0.03$$

$$\therefore\ n \geq \frac{0.171 \times 0.829 \times 1.96^2}{0.03^2} = 605.09\cdots$$

したがって,およそ 600 人以上について調査する必要がある. □

▶注　**標本サイズの決定**　本問では，母比率 $p≒0.171$ ですが，調査開始前，母比率の予想さえもつかないときは，

$$p(1-p)=-p^2+p=-\left(p-\frac{1}{2}\right)^2+\frac{1}{4}\leq\frac{1}{4} \quad (0<p<1)$$

ですから，

$$誤差\leq 1.96\sqrt{\frac{p(1-p)}{n}}\leq 1.96\sqrt{\frac{1/4}{n}}\leq 0.03$$

$$\therefore \quad n\geq\frac{1}{4}\left(\frac{1.96}{0.03}\right)^2=1067.1$$

ほぼ 1100 人以上を調査しなければなりません．

―― 練習問題 ――

3.3.1　次は，ある正規母集団からのサイズ 9 の標本である：
　　5.57　5.61　5.55　5.58　5.52　5.62　5.46　5.50　5.54
（1）　母分散 σ^2 の 95％ 信頼区間を求めよ．
（2）　母平均 μ の 95％ 信頼区間を求めよ．
（3）　母分散が，$\sigma^2=0.002$ と判明したとき，母平均 μ の 95％ 信頼区間を求めよ．

3.3.2　山手線 S 駅近くの手打うどん K 屋の客の列に並び，数回に分けてランダムな時間に 100 人の客に聞いたら，72 人までが，この店の人気メニューのカレーうどんを注文していた．この店で，カレーうどんは，どのくらいの割合で注文があるか．信頼度 95％ で推定せよ．

3.3.3　細川内閣成立の 1993 年ごろからであろうか．国民の政党離れが加速し，いわゆる〝無党派層〟が急増した．

2001 年 2 月，ある地方で無作為に抽出された有権者 200 人に聞いたところ，105 人が〝支持政党なし〟であった．
（1）　この地方の無党派層の割合 p を信頼度 95％ で推定せよ．
（2）　母比率 p を標本比で推定するとき，誤差が 5％ 以内である確率が 95％ 以上にしたい．およそ何人の有権者に聞く必要があるか．

ゼロからゼミナール　グラフによるトリック

高齢化社会といわれています．総務庁（当時）統計局統計調査部の発表によりますと，1980〜1999年におけるわが国の65才以上の人口の割合は，下のグラフのようになります：

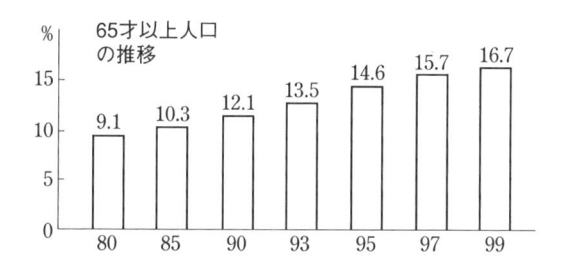

%　65才以上人口の推移

年	80	85	90	93	95	97	99
%	9.1	10.3	12.1	13.5	14.6	15.7	16.7

確かに高齢化ではありますが，'80〜'90の20年間の上昇が，**出生率が低下しての相対的な**数字であることを考えれば，驚異の数字ともいえないでしょう．同じ数字を次のグラフで表現したらどうでしょう：

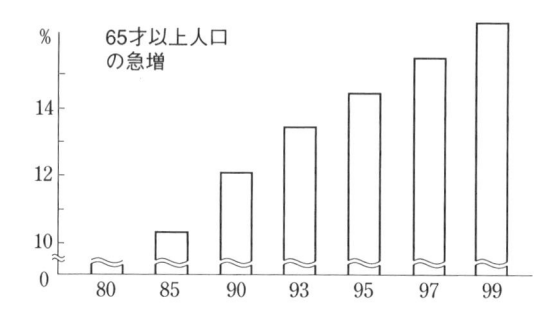

%　65才以上人口の急増

（縦軸を途中で省略したグラフ：80年〜99年の同じ数値を強調表示）

こうすると**急増**に見えますね．同じ事実でも，何を強調するかという表現方法によって受ける**印象は一変**します．

高齢化──だから，人生経験豊かな高齢者と若者との共存社会の実現が求められます．誰でもいつかは高齢者になります．高齢者を厄介者あつかいする政治や社会にだけはしたくないですね．

第4章
これでわかった！ 仮説検定

「もしそうだったら，こんな値になるわけないわよね．きっとそうじゃないのよ」

こんな日常どこにでもあって，だれでも無意識に使っている推論 —— これが，〝統計的仮説検定〟単に〝仮説検定〟の骨格なのです．

たとえば，正常なサイコロをかりに600回投げたとすれば，どの目も，〝ある程度〟均等に〝100回近く〟出る(可能性が高い)でしょう．

ところが，いま目の前のサイコロを600回投げて，ある目だけ〝極端に〟多く出たり，少なく出たりしたら〝このサイコロどうもオカシイぞ〟ということになるでしょう．

〝ある程度〟・〝100回近く〟・〝極端に〟etc. etc.をキチンと考えましょう —— これからはじまるお話しです．

4.1. くじのウソをあばく法

仮説検定

　ある新興住宅地のスーパーマーケットは，開店2周年記念セール中で，"4本に1本当る"の宣伝文句のスピードくじに大盛況です．

　「そんなに当るくじってあるかしら」とM子さんは，お友だちの抽選券まで集めて，なんと11本も引いたのです．

　1本目は外れました．外れる確率は，1−1/4＝3/4なのですから外れても仕方がないでしょう．

　ところが，2本目も外れたのです．これも，2本続けて外れる確率は，$(3/4)^2=0.563=$約56％，まあ仕方ないでしょう．

　しかし，しかしです．M子さんは，3本目も4本目も，…ついに，最後の11本目も外れてしまったのです．

　このくじヘンだわ！

　M子さんの疑惑は確信に変わったのです．

　彼女のいいぶんはこうです．

　11回とも外れる確率は，

$$\left(\frac{3}{4}\right)^{11}=0.042\cdots\cdots$$

で，ほぼ4％．100回に4回しか起こらないことなんか，たった一度の体験で起こりっこないわ．4本に1本当るなんて，ウソだわ！

　じつは，このM子さんの推論こそが，**統計的仮説検定**（長いので単に**仮説検定**さらに短く**検定**）の発想そのものなのです．

　いま，4本に1本の割合で当る，この当る確率をpとしますと，

$$p=\frac{1}{4}$$

これが本当だとしますと，11回連続して外れる確率は，上で計算したように，$(3/4)^{11}=0.042\cdots$ ですから，100回に4回の割合でしか起こらないような"珍しいこと"が，いま現実に起こったのです．

この事実に対して，われわれは，次の二つの解釈ができます．一つは，
 (1) 100回に4回という"珍事"といっても可能性は $\overset{\text{ゼロ}}{0}$ ではなかろう．その珍事が偶然に起こったのだ．

という見解です．もう一つは，
 (2) "珍事"は，1回の実験では，まず起こらないだろう．$p=1/4$ はウソだと考える方が自然だ．

というものです．どちらの主張にも，それぞれ一理ありますね．

しかし，このとき，(2)の考え方

珍事(奇蹟)は起こらない

というのが，統計学の立場なのです．

11回すべて外れた ＜ 珍事が偶然に起こった
　　　　　　　　　　$p=1/4$ はウソだ　⬅ 統計学の立場

ここで，いくつかの定義や約束をしておきましょう．

いま，確率4％でしか起こらないことを"珍しい"と考えましたが，珍しいという言葉は感覚的な言葉ですから，万人に共通の議論をするためには，この"珍しい"に何かの基準 α を定めておかなければなりません．

この基準 α を **有意水準** とよび，0.05 と 0.01 がよく使われます．確率5％でしか起こらないことを"珍しい"とよびましょう，という申し合わせです．より厳しい検定のときは，$\alpha=0.01$ を採用します．

上のスピードくじで，M子さんがいいたかったことは，

$p<1/4$ （当る確率は $1/4$ より小さい）

ということでしょう．このように，

主張したい本音を 対立仮説 とよび H_1 と略記します

これに対して "$p=1/4$ （当る確率は$1/4$）" は，本当は否定してしまいたい仮説ですね．このように，

否定したい命題を 帰無仮説 とよび H_0 と略記します

"仮定" といわずに，わざわざ "仮説"（Hypothesis）という数学用語を使うことに注意して下さい．

さて，上のスピードくじを11本引いて，ちょうど X 本だけ当ったとしますと，
$$P(X=k) = {}_{11}C_k \left(\frac{1}{4}\right)^k \left(\frac{3}{4}\right)^{11-k}$$
となります．

いま，試みに，$P(X=k)$ の値を計算しますと，右の表のようになります．

ここで，有意水準（珍しいかどうかのボーダーライン）を，$\alpha=0.05$ としますと，
$$P(X=0)=0.0422<0.05$$
ですから，帰無仮説
$$H_0 : p=\frac{1}{4}$$
は，棄却されます．このときも，"否定" されるといわずに **棄却** されるといいます．

X	P
0	0.0422
1	0.1549
2	0.2581
3	0.2581
4	0.1721
5	0.0803
6	0.0268
7	0.0064
8	0.0011
9	0.0001
10	0.0000
11	0.0000
計	1.0000

M子さんは，本当は $p<1/4$ といいたいのですから，とくに X の小さい値に注目しますと，
$$P(X\leq 1) = P(X=0)+P(X=1)$$
$$=0.0422+0.1549=0.1971>0.05$$
このくじを11回引いて，多くても1回しか当らない確率は，ほぼ20％にも達しますから，べつに珍しいことでも何でもありません．

ですから，帰無仮説 $H_0 : p=1/4$ が棄却されるのは，$X=0$ のときだけであることが分かります．

このように，帰無仮説が棄却されるような X の値の全体を **棄却域** とよびます．

この場合，対立仮説は $p<1/4$ でした．このように，対立仮説が，$p<c$ の形の不等式の検定を，**左側検定** といいます．

棄却域

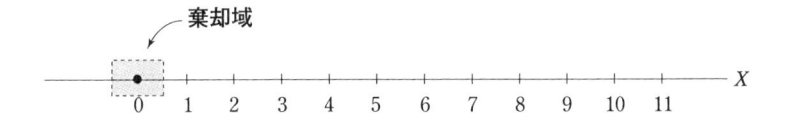

ところが，「当らないとお客さんが来ないので，ドンドン当ると思ったわ」というN子さんは，11本引いてなんと6本も当ったとニコニコ顔．
$$P(X=6)=0.0268<0.05$$
ですから，帰無仮説 $H_0: p=1/4$ を棄却しましょうと考えるのですが，$X=6$ のとき棄却されるのなら，7, 8, 9, 10, 11 回も当ったときは，ますます $p \neq 1/4$ だと考えるべきでしょう．

そこで，$P(X \geq 6)$ を計算しますと，はたして，
$$P(X \geq 6)=P(X=6)+P(X=7)+\cdots+P(X=11)$$
$$=0.0268+0.0064+\cdots+0.0000$$
$$=0.0344<0.05$$
となって，帰無仮説 $H_0: p=1/4$ は棄却されます．

したがって，棄却域は，$\{6, 7, 8, 9, 10, 11\}$ となります．

N子さんの場合，対立仮説（本音の主張）は，$p>1/4$ ですね．このように，対立仮説が，$p>c$ の形の不等式の検定を，**右側検定**といい，左側検定・右側検定を合わせて，**片側検定**といいます．

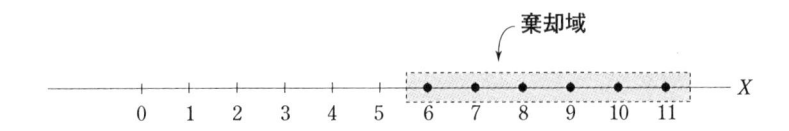

棄却域

くじの場合は，当りくじが多いかどうかに関心が集まりますので，検定は片側検定になります．

ところが，機械部品などの場合は，規格から外れては困ります．たとえば，ボルトの母平均 μ が c ミリメートルかどうかが問題ならば，
$$帰無仮説: \mu=c, \quad 対立仮説: \mu \neq c$$
という形になります．このような検定を，**両側検定**といいます．

検定は，一つの判断・判定です．ですが，いつも 100％ 正しい判断であるとはかぎりません．

M 子さんの場合，$p=1/4$（くじの当る確率は 1/4）という仮説を棄却してしまいました．これは，有意水準の 5％ のミスを覚悟の上での判断なのです．真相は，案外 M 子さんのくじ運が悪かったのかもしれないのです．この意味で，有意水準 α を**危険率**ということもあります．

帰無仮説 H_0 が棄却されないとき，"**採択される**"といいますが，これは，けっして，帰無仮説が正しいと認めたわけではありません．

帰無仮説が棄却されないときは，

何の結論も下せない

ということです．

この標本（データ）だけでは，帰無仮説を棄却するだけの証拠としては不十分なので，新しくデータを取り，検定をやり直して下さい，ということなのです．

```
帰無仮説
肯定的に使うな！
```

すでに読者のみなさんは，お気づきかもしれません．

この統計的仮説検定というのは，数学でよく用いる有名な"**背理法**"とよく似ているのです：

  背理法 ： 仮　　定 $\Longrightarrow$ 矛盾 のとき，仮定を否定
  検　定 ： 帰無仮説 $\Longrightarrow$ 珍事 のとき，仮説を棄却

ですから，仮説検定というのは，

危険率つきの背理法

なのです．

したがって，宿命として，次のようなミスを犯す可能性があります：

第一種の誤り … 帰無仮説 H_0 が真なのに，棄却してしまう誤り
第二種の誤り … 帰無仮説 H_0 が偽なのに，採択してしまう誤り

明らかに，第一種の誤りを犯す確率は，有意水準・危険率です．

学校の期末試験などで，ふだんよく勉強する学生を一発の試験で落してしまうのは，第一種の誤り．ほとんど勉強しないのに山勘が当った学生を高得点で通すのは，第二種の誤りです．

		判　　定	
		H_0を採択	H_0を棄却
事実	H_0は真	OK	第一種の誤り
	H_1は真	第二種の誤り	OK

以上を整理して，検定の一般的な手順をまとめておきましょう：

◆ポイント ──────────────── **検定の手順**

1. 母集団のパラメータまたは分布に関する帰無仮説 H_0，対立仮説 H_1 および有意水準 α を設定する．ここに，$Bin(n,p)$ の n, p や $N(\mu,\sigma^2)$ の μ, σ のように分布を規定する定数を，その分布の**パラメータ**といいます．

2. 適当な統計量 $T(X_1, X_2, \cdots, X_n)$ を考え，H_0 の下で，この T の分布を決定する．ここに，$(X_1, X_2, \cdots, X_n)$ は，サイズ n の標本．

3. 有意水準（危険率）α に対して，
$$T が W に属する確率 \leq \alpha$$
となる実数の範囲 $W \subseteq \boldsymbol{R}$ を，対立仮説 H_1 を考慮して決める．この W を**棄却域**とよぶ．

4. 入手した標本値から T の実現値 t を計算し，
   t が棄却域 W に属する　$\Longrightarrow$　有意水準 α で H_0 を棄却
   t が棄却域 W に属さない　$\Longrightarrow$　有意水準 α で H_0 を採択

▶**注**　帰無仮説 H_0，対立仮説 H_1 や棄却域の設定は，必ず，

　　　　　　　データを取る前に

行わなければなりません．データ（標本実現値）を見てから，仮説や棄却域を自分の都合のよいように設定するのは反則です．

未知のパラメータ θ の検定については，次のようになります：

検定の種類		H_0 の形	H_1 の形	棄却域の形
片側	右側	$\theta = c$	$\theta > c$	
	左側	$\theta = c$	$\theta < c$	
両側		$\theta = c$	$\theta \neq c$	

▶注 有意水準 α の両側検定は，左右に $\dfrac{\alpha}{2}$ ずつ取るのが普通です．

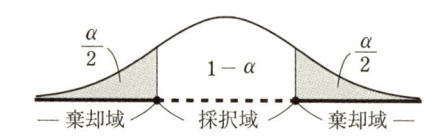

母平均の検定・1

1950年代，蛍光灯は，"半永久的"に使えます，との触れ込みで一般社会へ登場したのでした．

$\infty \div 2 = \infty$ ですから，半永久的＝永久的 で，永久に使えるのかと思っていたら，"生有るものは必ず死有り"（法言・君子）．蛍光灯とてその例外ではありませんでした．

ある出版社で，どうもこのごろ蛍光灯が早くダメになるようだ，との声が多く，一度テストしてみようということになりました．

従来の経験から，この社で使っている蛍光灯は，平均寿命 1280 時間・標準偏差 160 時間です．

そこで，同じ銘柄の蛍光灯を，あちこちの店から計 16 本買い，テストしたら，その平均寿命は，1210 時間でした．

このごろ，蛍光灯の寿命は，本当に短くなったのでしょうか？

従来 1280 時間・現在 1210 時間．明らかに 70 時間も短くなったじゃないか！ などといってはいけません．

この現在 1210 時間というのは，あくまでも 16 本の標本平均であって，現在製造販売されている蛍光灯全体の母平均ではないからです．

もっとも，標本平均であっても，従来の 1280 時間との差が極端に大きい場合は，寿命は短くなった，といえるでしょう．たいした差でなければ

標本の取り方による偶然の差だとも考えられます．

　この辺までが常識の範囲での判断ですが，はたして70時間という差は，大きいのか．小さいのか？　けっきょく，70時間の差は，

　　　　選出母体の差によるものか・標本抽出の偶然性によるものか？

　この判定は，もはや常識では無理です．どうしても，

統計学の活用

が不可欠です．

　くどいようですが，問題は，1210時間と1280時間との比較ではなく，

　　　　　この銘柄の製品全体の平均寿命 μ と1280時間との比較

なのです．

　もともと，"このごろ蛍光灯が早くダメになるようだ"という感触からはじまった検定ですから，本音は"寿命は短くなった"すなわち，

　　　$H_1 : \mu < 1280$　（対立仮説）

といいたいのです．そこで，いま"寿命は変わらない"すなわち，

　　　$H_0 : \mu = 1280$　（帰無仮説）

と仮定して，この仮説を棄却してしまおうと考えるのです．

　ところで，蛍光灯の寿命は正規分布に従う，と考えてよいでしょう．

　$\mu = 1280$ ということは，サイズ16の標本が，従来通りの

正規母集団 $N(1280, 160^2)$

からのものであるという意味です．標準偏差も160時間です．

　したがって，この標本平均を $\overline{X}$ としますと，

$$T = \frac{\overline{X} - 1280}{160/\sqrt{16}}$$ は，標準正規分布 $N(0,1)$ に従う

ことになります．

　有意水準は，0.05にしましょう．

　正規分布表で調べますと，$z(0.05) = 1.65$ で，左側検定ですから，棄却域は，次のようになります：

−1.65

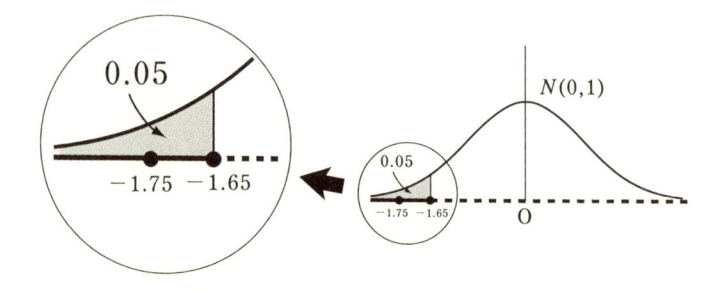

標本平均 $\bar{X}$ の実現値は，$\bar{x}=1210$ 時間ですから，T の実現値 t は，
$$t=\frac{\bar{x}-1280}{160/\sqrt{16}}=\frac{1210-1280}{160/\sqrt{16}}=-1.75<-1.65$$
ということで，棄却域に属することが分かります．したがって，

　　H_0：$\mu=1280$

は，有意水準 0.05 で棄却され，

　　H_1：$\mu<1280$

すなわち，"蛍光灯の寿命は短くなった" という主張が左側検定によって認められたわけです．

▶注　有意水準 0.01 では，次のように，H_0 は棄却されません：
$$t=-1.75>-2.33=-z(0.01)$$

それでは，母分散が既知の場合の母平均の検定法をまとめておきます：

◆正規母集団 $N(\mu,\sigma^2)$ の母平均の検定・1

H_0	H_1	統計量・分布	棄 却 域
$\mu=m$	$\mu>m$	$T=\dfrac{\bar{X}-m}{\sigma/\sqrt{n}}$ $N(0,1)$	1.65
	$\mu<m$		-1.65
	$\mu\neq m$		-1.96 　 1.96

（ σ^2：既知，有意水準：0.05 ）

[例] ある精密機器メーカーでは，直径の平均が 3.80 cm，標準偏差 0.025 cm のボルトを製造していた．ある日，ボルト 10 個を無作為抽出したら，直径の平均が 3.82 cm であった．機械は正常に作動しているといえるか．有意水準 0.05 で検定せよ．

解 この日に製造されるボルト全部の平均直径を μ cm とする．

ボルトの直径は，大きくても小さくてもいけないのだから，$\mu=3.80$（機械は正常に作動している）か，$\mu \neq 3.80$（機械は正常に作動していない）かが問題になり，

帰無仮説 $H_0: \mu=3.80$

対立仮説 $H_1: \mu \neq 3.80$

という**両側検定**を行う．

$$\bar{x}=3.82 \text{ cm}, \quad m=3.80 \text{ cm}, \quad \sigma=0.025 \text{ cm}, \quad n=10$$

ゆえに，T の実現値 t は，次のように棄却域に属する：

$$t=\frac{\bar{x}-m}{\sigma/\sqrt{n}}=\frac{3.82-3.80}{0.025/\sqrt{10}}=2.53>1.96$$

H_0 は棄却され，機械は正常に作動してない，と判定される． □

▶**注** 生産工程は管理状態にないのですから，製造を中断し機械の点検・修理に入ることになります．

母平均の検定・2

ある大学のキャンパスの近くに一区画の土地があり，公簿上この土地の面積は，26000 m² と記録されています．

かなり古い記録なので，この信憑性に疑念をもち，工学部の学生 5 人に測量を依頼し，次の結果を得ました：

26500, 26200, 25900, 26500, 26100 （m²）

公簿記録は信用できるでしょうか？

問題は，この土地の真の面積 μ m² と，公簿記録 26000 m² との比較なのです．すなわち，

対立仮説 $H_1: \mu \neq 26000$ に対する 帰無仮説 $H_0: \mu=26000$

という両側検定です．

ところで，学生諸君の測量値は，正規分布 $N(\mu, \sigma^2)$ に従うと考えてよいでしょうが，先ほどの蛍光灯の場合と大きく違う点は，

母分散 σ^2 が未知

だということです．

そこで，母平均の推定のときにもお世話になった t 分布の登場です．

いま，$\mu = 26000\,\mathrm{m}^2$ と仮定したのですから，母集団は $N(26000, \sigma^2)$ です．この正規母集団からのサイズ n の標本に対して，

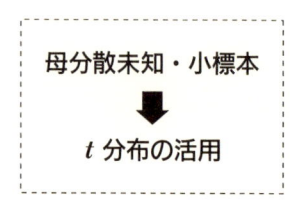

> 母分散未知・小標本
> ↓
> t 分布の活用

$$T = \frac{\overline{X} - 26000}{U/\sqrt{5}}\text{ は，自由度 } 5-1=4 \text{ の } t \text{ 分布に従う}$$

のでしたね．もちろん，U は不偏分散 U^2 の平方根です．

いま，有意水準を $\alpha = 0.05$ としましょう．t 分布表から，

$$t_4(0.025) = 2.78$$

ですから，棄却域は，図の太線部分になります．

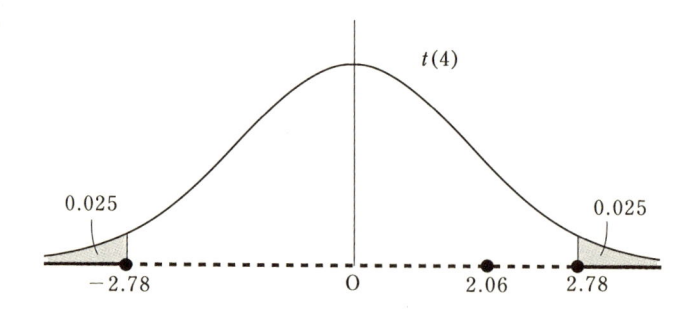

また，$\overline{X}, U^2$ の実現値は，

$$\overline{x} = \frac{1}{5}(26500 + 26200 + \cdots + 26100) = 26240$$

$$u^2 = \frac{1}{5-1}\{(26500-26240)^2 + (26200-26240)^2 + \cdots$$
$$\cdots + (26100-26240)^2\} = 68000$$

ところが，t の実現値

$$t=\frac{\bar{x}-26000}{u/\sqrt{5}}=\frac{26240-26000}{\sqrt{68000}/\sqrt{5}}=2.06$$

は，上の棄却域に属してませんから，帰無仮説 H_0 は棄却されません．

だからといって，この土地が 26000 m² であると認められたわけではありません．これだけの測量値からは，$\mu=26000$ を否定できないということです．

以上を一般化しておきましょう．

◆正規母集団 $N(\mu, \sigma^2)$ の母平均の検定・2

H_0	H_1	統計量・分布	棄 却 域
$\mu=m$	$\mu>m$	$T=\dfrac{\bar{X}-m}{U/\sqrt{n}}$ $t(n-1)$	$t_{n-1}(0.05)$
	$\mu<m$		$-t_{n-1}(0.05)$
	$\mu\neq m$		$-t_{n-1}(0.025)$ $t_{n-1}(0.025)$

（ σ^2：未知，有意水準：0.05 ）

[例] ある山村の町の五十代の女性 20 人を無作為抽出し，最大血圧を測ったら，平均 146.2 mmHg，標準偏差 23.0 mmHg であった．

この町の五十代の女性の最大血圧は，五十代女性の（日本）全国平均 138.7 mmHg より高いといってよいか．有意水準 0.05 で検定せよ．

解 最大血圧は，正規分布に従うものとし，母平均 μ について，
　　　$H_1: \mu>138.7$ 　　に対して，　　$H_0: \mu=138.7$
を検定する．

$\bar{X}, S$ の実現値は，$\bar{x}=146.2$，$s=23.0$，$n=20$ だから，T の実現値は，

$$t=\frac{\bar{x}-m}{u/\sqrt{n}}=\frac{\bar{x}-m}{s/\sqrt{n-1}}$$

$$nS^2=(n-1)U^2=\sum_{k=1}^{n}(X_k-\bar{X})^2$$

$$=\frac{146.2-138.7}{23.0/\sqrt{19}}=1.42<1.73=t_{19}(0.05)$$

ゆえに，H_0 は棄却されない．何の結論も得られない． □

等平均仮説の検定・1

P 先生は，永年にわたって国立 A 大学と私立 B 大学で数学の講義を受けもっています．

ある年の前期の授業時間は，下表のようでした．

P 先生の両大学での授業時間に差があるでしょうか．ただし，この P 先生は，数学者らしからぬ几帳面な性格で，休講も少なく，授業時間の標準偏差は4分です．

いままでは，一つの母集団について考えたのですが，この問題は，二つ

	授業回数	平均授業時間
A 大学	14 回	73 分
B 大学	13 回	77 分

の正規母集団を考え，それらの母平均の比較です．

いま，母分散が既知の二つの正規母集団 $N(\mu_A, \sigma_A^2)$，$N(\mu_B, \sigma_B^2)$ を考えます．このとき，

$\overline{X}_A$ を $N(\mu_A, \sigma_A^2)$ からのサイズ n_A の標本の標本平均

$\overline{X}_B$ を $N(\mu_B, \sigma_B^2)$ からのサイズ n_B の標本の標本平均

としますと，**正規分布の再生性**によって，

$$\overline{X}_A - \overline{X}_B \text{ は，} N\left(\mu_A - \mu_B, \frac{\sigma_A^2}{n_A} + \frac{\sigma_B^2}{n_B}\right) \text{ に従う}$$

ことになります．したがって，

$$\frac{(\overline{X}_A - \overline{X}_B) - (\mu_A - \mu_B)}{\sqrt{\frac{\sigma_A^2}{n_A} + \frac{\sigma_B^2}{n_B}}} \text{ は，} N(0,1) \text{ に従う．}$$

とくに，$\mu_A = \mu_B$ のときは，

$$T=\frac{\bar{X}_A-\bar{X}_B}{\sqrt{\dfrac{\sigma_A^2}{n_A}+\dfrac{\sigma_B^2}{n_B}}} \text{ は, } N(0,1) \text{ に従う}$$

この結果から,ただちに,等平均仮説の検定法が得られます:

◆正規母集団 $N(\mu_A, \sigma_A^2)$, $N(\mu_B, \sigma_B^2)$ の等平均仮説の検定・1

H_0	H_1	統計量・分布	棄却域
$\mu_A=\mu_B$	$\mu_A>\mu_B$	$T=\dfrac{\bar{X}_A-\bar{X}_B}{\sqrt{\dfrac{\sigma_A^2}{n_A}+\dfrac{\sigma_B^2}{n_B}}}$ $N(0,1)$	1.65
	$\mu_A<\mu_B$		-1.65
	$\mu_A\neq\mu_B$		-1.96, 1.96

(σ_A^2, σ_B^2:既知　有意水準 0.05)

さて,P 先生の両大学で授業時間の母集団などは,

A 大学:$N(\mu_A, \sigma_A^2)$, $n_A=14$, $\bar{x}_A=73$, $\sigma_A=4$

B 大学:$N(\mu_B, \sigma_B^2)$, $n_B=13$, $\bar{x}_B=77$, $\sigma_B=4$

のようになります.授業時間に"差があるでしょうか"というのですから,

$$H_1: \mu_A\neq\mu_B \text{ に対して, } H_0: \mu_A=\mu_B$$

を検定(両側検定)するわけです.実際,統計量 T の実現値 t は,

$$t=\frac{\bar{x}_A-\bar{x}_B}{\sqrt{\dfrac{\sigma_A^2}{n_A}+\dfrac{\sigma_B^2}{n_B}}}=\frac{73-77}{\sqrt{\dfrac{4^2}{14}+\dfrac{4^2}{13}}}=-2.60<-1.96$$

となって,H_0 は棄却されてしまい,両大学での授業時間に差があるということになります.

両大学での,$77-73=4$(分)という差は,たまたま,この年度という偶然性によるものではなく,A,B 両大学の諸々の事情によって起こった本来の差であるというのが,統計学の判断なのです.

等平均仮説の検定・2

今度は，経済学の Q 先生です．Q 先生のデータは，次のようです．

	授業回数	平均授業時間	標準偏差
A 大学	13 回	70 分	5 分
B 大学	12 回	75 分	6 分

先ほどの P 先生の場合と違う点は，**母分散が未知**なことです．しかし，両大学とも90分授業で，Q 教授という同一人物による講義なのですから，$\sigma_A = \sigma_B$ とも考えてもよいでしょう．

この問題を一般化します．

母分散 σ_A^2, σ_B^2 は未知ではあるけれども，**等しいことだけは分かっている**正規母集団 $N(\mu_A, \sigma_A^2)$，$N(\mu_B, \sigma_B^2)$ を考えます．

いま，これらの母集団から，それぞれ，サイズ n_A および n_B の標本を，独立に抽出し，

$\bar{X}_A$, U_A^2 を $N(\mu_A, \sigma_A^2)$ からの標本の標本平均，不偏分散

$\bar{X}_B$, U_B^2 を $N(\mu_B, \sigma_B^2)$ からの標本の標本平均，不偏分散

とします．じつは，このとき，

$$\frac{(\bar{X}_A - \bar{X}_B) - (\mu_A - \mu_B)}{\sqrt{\left(\frac{1}{n_A} + \frac{1}{n_B}\right) U^2}} \text{ は，} t(n_A + n_B - 2) \text{ に従う}$$

ことが知られているのです．ただし，U^2 は，

$$U^2 = \frac{(n_A - 1) U_A^2 + (n_B - 1) U_B^2}{(n_A - 1) + (n_B - 1)} = \frac{n_A S_A^2 + n_B S_B^2}{(n_A - 1) + (n_B - 1)}$$

という式によって計算される値です．

したがって，とくに，$\mu_A = \mu_B$ のときは，

$$T = \frac{\bar{X}_A - \bar{X}_B}{\sqrt{\left(\frac{1}{n_A} + \frac{1}{n_B}\right) U^2}} \text{ は，} t(n_A + n_B - 2) \text{ に従う}$$

ことが得られますが，この結果から，

◆正規母集団 $N(\mu_A, \sigma_A^2)$, $N(\mu_B, \sigma_B^2)$ の等平均仮説の検定・2

H_0	H_1	統計量・分布	棄却域
$\mu_A = \mu_B$	$\mu_A > \mu_B$	$T = \dfrac{\bar{X}_A - \bar{X}_B}{\sqrt{\left(\dfrac{1}{n_A} + \dfrac{1}{n_B}\right) U^2}}$ $t(m)$	$t_m(0.05)$
	$\mu_A < \mu_B$		$-t_m(0.05)$
	$\mu_A \neq \mu_B$		$-t_m(0.025)$ $t_m(0.025)$

($\sigma_A^2 = \sigma_B^2$：既知，σ_A^2, σ_B^2 の値：未知，有意水準：0.05)
ただし，$m = n_A + n_B - 2$．

さて，Q先生の場合，二つの母集団 $N(\mu_A, \sigma^2)$, $N(\mu_B, \sigma^2)$ の母平均について，

$$H_1: \mu_A \neq \mu_B \quad \text{に対して}, \quad H_0: \mu_A = \mu_B$$

を検定するわけです．有意水準は，0.05としましょう．

これらの母集団からの標本サイズ，標本平均などの実現値は，

$N(\mu_A, \sigma_A^2)$: $n_A = 13$, $\bar{x}_A = 70$, $s_A = 5$
$N(\mu_A, \sigma_B^2)$: $n_B = 12$, $\bar{x}_B = 75$, $s_B = 6$

ですから，U^2 の実現値 u^2 は，

$$u^2 = \frac{n_A s_A^2 + n_B s_B^2}{(n_A - 1) + (n_B - 1)} = \frac{(13 \times 5^2) + (12 \times 6^2)}{(13-1) + (12-1)} = \frac{757}{23}$$

したがって，T の実現値 t は，

$$t = \frac{70 - 75}{\sqrt{\left(\dfrac{1}{13} + \dfrac{1}{12}\right) \times \dfrac{757}{23}}} = -2.18 < -2.07 = -t_{23}(0.025)$$

ご覧のように，きわどくも帰無仮説 H_0 は棄却されます．

H_1 すなわち，Q先生の両大学での授業時間には差があるということになります．

[**例**] 自動車販売のN社は，A，B両支店に，それぞれ，9人，7人のセールスマンがいる．下表は，ある年の各セールスマンの新車販売実績である．両支店の営業成績に差があるといえるか．有意水準0.05で検定せよ．ただし，両支店社員の永年の営業成績の分散は等しいものとする．

A 支店	240	251	233	195	222	244	207	230	248 （台）
B 支店	253	232	261	256	224	221	240		

解 両支店の販売台数は，正規分布に従うものとし，各母集団を，
$$N(\mu_A, \sigma_A^2), \quad N(\mu_B, \sigma_B^2)$$
とする．営業成績に"差があるか"というのだから，
$$H_1 : \mu_A \neq \mu_B \quad \text{に対して,} \quad H_0 : \mu_A = \mu_B$$
を検定する．

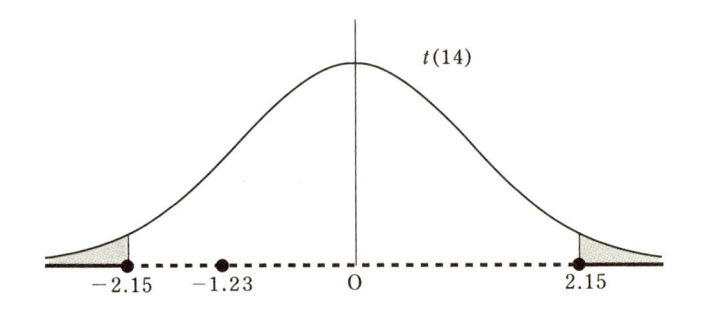

t 分布表から，$t_{14}(0.025) = 2.15$ で，棄却域は上図太線部分．
さて，両支店の標本平均値 $\bar{x}_A, \bar{x}_B$，標本分散値 s_A^2, s_B^2 は，

$$\bar{x}_A = \frac{1}{9}(240 + 251 + 233 + \cdots + 248) = 230$$

$$\bar{x}_B = \frac{1}{7}(253 + 232 + 261 + \cdots + 240) = 241$$

$$n_A s_A^2 = (240-230)^2 + (251-230)^2 + \cdots + (248-230)^2 = 2888$$
$$n_B s_B^2 = (253-241)^2 + (232-241)^2 + \cdots + (240-241)^2 = 1540$$

したがって，統計量 T の実現値 t は，

$$t = \frac{\bar{x}_A - \bar{x}_B}{\sqrt{\left(\frac{1}{n_A} + \frac{1}{n_B}\right) \cdot \frac{n_A s_A^2 + n_B s_B^2}{(n_A - 1) + (n_B - 1)}}}$$

$$= \frac{230 - 241}{\sqrt{\left(\frac{1}{9} + \frac{1}{7}\right) \times \frac{2888 + 1540}{(9-1) + (7-1)}}} = -1.23$$

この $t = -1.23$ は,棄却域に属していないので,H_0 は棄却できない.与えられたデータからは,何の結論も得られない. □

━━━ 練習問題 ━━━

4.1.1 H食品のソースびん詰め機は,平均 360 ml,標準偏差 5 ml になるように調整されている.無作為に抽出されたソース 40 本を調べたら,平均 361 ml であった.

機械は正しく調整されているといえるか.有意水準 0.05 で検定せよ.

4.1.2 K大医学部合格は,過去の資料や諸々の状況判断から,S予備校模試で,795 点がボーダーラインと見られる.

次は,Y君の今年 5 回の模試の得点である:

    753 810 722 820 775 (点)

Y君は合格困難か,有意水準 0.05 で検定せよ.

4.1.3 ある大学病院で,同種同年齢のマウス 20 匹を 2 組に分け,一方には特別の食餌,他方に普通の食餌を与えた.3 か月後,増加体重を測定して下表を得た.特別食は体重の増加に寄与したといえるか.

	標本数	平均体重増	標準偏差
A (特別食)	11 匹	13.1 g	1.7 g
B (普通食)	9 〃	6.0 〃	1.4 〃

4.2. 母分散の異同を判定する法

母分散の検定

今度は,正規母集団 $N(\mu, \sigma^2)$ の母分散 σ^2 の検定を考えましょう.

いま,$(X_1, X_2, \cdots, X_n)$ を正規母集団 $N(\mu, \sigma^2)$ からの標本としますと,"母分散の推定" のときにも出てきたように,

$$T = \frac{nS^2}{\sigma^2} = \frac{1}{\sigma^2}\sum_{k=1}^{n}(X_k - \overline{X})^2 \text{ は, } \chi^2(n-1) \text{ に従う}$$

のでしたね.$\chi^2(n-1)$ は,自由度 $n-1$ の χ^2 分布の意味です.

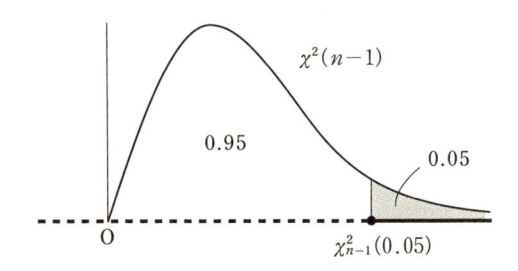

この事実から,母分散 σ^2 の検定法が得られます.この図は,有意水準 0.05 の右側検定を説明したものです.

◆正規母集団 $N(\mu, \sigma^2)$ の母分散 σ^2 の検定

H_0	H_1	統計量・分布	棄却域
$\sigma^2 = s_0^2$	$\sigma^2 > s_0^2$	$T = \frac{1}{s_0^2}\sum_{k=1}^{n}(X_k - \overline{X})^2$ $\chi^2(n-1)$	$\chi^2_{n-1}(0.05)$ 以上
	$\sigma^2 < s_0^2$		$\chi^2_{n-1}(0.95)$ 以下
	$\sigma^2 \neq s_0^2$		$\chi^2_{n-1}(0.975)$ 以下, $\chi^2_{n-1}(0.025)$ 以上

(μ:未知,有意水準:0.05)

[**例**] 従来，直径の標準偏差が，0.04 cm のボルトを製造していた機械メーカーが，バラツキをもっと小さくと，新製法を研究開発した．
次は，無作為抽出された 12 個の新製品の直径である：

  3.44 3.39 3.40 3.44 3.42 3.37
  3.41 3.42 3.39 3.41 3.40 3.43 （cm）

バラツキは小さくなったといえるか．有意水準 0.05 で検定せよ．

解 バラツキは〝小さくなったといえるか〞というので，

$$H_1 : \sigma^2 < 0.04^2 \quad \text{に対して，} \quad H_0 : \sigma^2 = 0.04^2$$

を，**左側検定**する．

標本平均 $\bar{X}$，標本分散 S^2 の実現値 $\bar{x}, s^2$ は，

$$\bar{x} = \frac{1}{12}(3.44 + 3.39 + \cdots + 3.43) = 3.41$$

$$12s^2 = (3.44 - 3.41)^2 + (3.39 - 3.41)^2 + \cdots + (3.43 - 3.41)^2$$
$$= 0.005$$

したがって，統計量 $T = \dfrac{nS^2}{\sigma^2}$ の実現値は，

$$t = \frac{ns^2}{s_0^2} = \frac{0.005}{0.04^2} = 3.125 < 4.57 = \chi_{11}^2(0.95)$$

したがって，有意水準 0.05 で，H_0 は棄却される．ボルトの直径のバラツキは，小さくなったと判断される． □

▶**注** 正規母集団 $N(\mu, \sigma^2)$ で，母平均 μ が既知でしたら，

$$T = \frac{nS_0^2}{\sigma^2} = \frac{1}{\sigma^2}\sum_{k=1}^{n}(X_k - \mu)^2 \text{ は，} \chi^2(n) \text{ に従う}$$

ことを用いて，同様の検定を行うことができます．（p.165 **練習問題 4.2.1**）

等分散仮説の検定

この本の冒頭に登場したＳ北高校の体力テストのお話しです．体力テストの直後，50 m 走の記録を一見したＫ先生は，男子の方が好記録との印象をもったので，それを確かめるために，とりあえず，男子 7 人・女子 8 人の記録を任意抽出しました：

	人数	平均タイム	標準偏差
男　子	7人	7.9秒	0.9秒
女　子	8〃	9.0〃	0.7〃

　確かに，男子7人・女子8人の標本平均では，男子の方が速いのですが，男子全体・女子全体について，そういってよいでしょうか？
　男子・女子のタイムの全体は，それぞれ，正規分布に従うと考えることにしましょう．以下の二つの正規母集団を考えます：
$$N(\mu_A, \sigma_A^2), \ N(\mu_B, \sigma_B^2)$$
このとき，母分散 σ_A^2, σ_B^2 は不明ですが，その上，$\sigma_A^2 = \sigma_B^2$ かどうかも分からないのです．ですから，このままでは，先ほどの〝等平均仮説の検定・2〟を用いることができません．
　そこで，まず，$\sigma_A^2 = \sigma_B^2$ かどうかの検定を行わなければなりません．
　$\sigma_A^2 = \sigma_B^2$ なのか？　また，$\sigma_A^2 > \sigma_B^2$ か $\sigma_A^2 < \sigma_B^2$ かといわれても，本物の σ_A^2, σ_B^2 はベールの中なのですから，どうしても，これらの代用品で判断するしかないのです．
　その場合，母分散の代用品は，標本分散 S^2 より不偏分散 U^2 の方が上質でしたね．しかし，上質といっても，あくまでも，代用品，$U_A^2 \fallingdotseq \sigma_A^2$，$U_B^2 \fallingdotseq \sigma_B^2$ なのですから，いつもキッチリ，

$$U_A^2 = U_B^2 \iff \sigma_A^2 = \sigma_B^2$$
$$U_A^2 > U_B^2 \iff \sigma_A^2 > \sigma_B^2$$
$$U_A^2 < U_B^2 \iff \sigma_A^2 < \sigma_B^2$$

となっているわけではありません．たとえば，
$$U_A^2 \text{ は } U_B^2 \text{ よりかなり大きい} \implies \sigma_A^2 > \sigma_B^2$$
といえるでしょうが，代用品の U_A^2 が U_B^2 より少しばかり大きいからといって，本物の母分散が $\sigma_A^2 > \sigma_B^2$ だとは断定できません．
　それでは，U_A^2 が U_B^2 よりどの程度大きいとき，たとえば確率95％で $\sigma_A^2 > \sigma_B^2$ だといえるのでしょうか？
　ところが，幸いなことに，この問いに答えてくれる研究が，すでに進ん

でいるのです.

U_A^2, U_B^2 が大きい・小さいといっても，本物の σ_A^2, σ_B^2 をモノサシにした精度 $\dfrac{U_A^2}{\sigma_A^2}, \dfrac{U_B^2}{\sigma_B^2}$ こそ問題にされるべきでしょう.

以上の状況について，次のことが知られているのです：

$$T = \frac{U_A^2/\sigma_A^2}{U_B^2/\sigma_B^2} \text{ は，自由度 } (n_A-1, n_B-1) \text{ の } F \text{ 分布に従う}$$

F 分布という新しい分布が出てきました.

この F 分布も自由度をもちますが，F 分布の自由度は，(m, n) という形の自然数のペアで，自由度 (m, n) の F 分布を $F(m, n)$ と記します.

いくつかの自由度について，F 分布の密度関数のグラフをお目に掛けましょう：

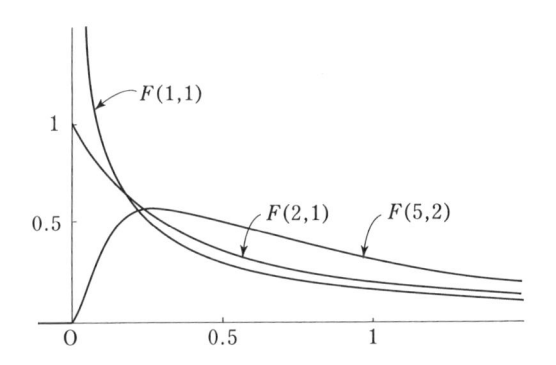

一般に，X, Y が独立であって，それぞれ，$\chi^2(m)$ および $\chi^2(n)$ に従うとき，$T = \dfrac{X/m}{Y/n}$ が従う分布を自由度 (m, n) の **F 分布**というのです.

▶**注** 自由度 (m, n) の F 分布の密度関数は，

$$f(x) = \begin{cases} A_{m,n} \cdot \dfrac{x^{\frac{m}{2}-1}}{(mx+n)^{\frac{m+n}{2}}} & (x \geq 0) \\ 0 & (x < 0) \end{cases}$$

の形で表わされます．係数 $A_{m,n}$ は，ここでは具体的には書きませんが，密度曲線と横軸の間の面積が1になるように作られた数です．

$F(m,n)$ の上側 α 点を，右図のように $F_n^m(\alpha)$ と記します．巻末の F 分布表の数値は，すべて1以上になっていますが，これは，F 分布の次の自明な性質によるものです：

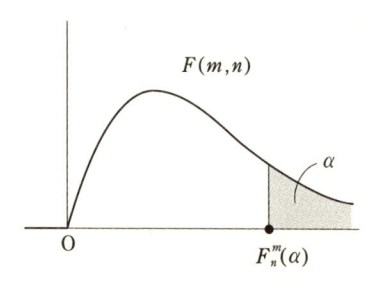

1° X は $F(m,n)$ に従う $\iff$ $1/X$ は $F(n,m)$ に従う
2° $F_n^m(1-\alpha) = 1/F_m^n(\alpha)$

それでは，等分散仮説の検定の話にもどりましょう．

S北高の50m走の男子・女子のタイムの母集団を，それぞれ，
$$N(\mu_A, \sigma_A^2),\ N(\mu_B, \sigma_B^2)$$
としたのでしたね．この母分散 σ_A^2, σ_B^2 について，
$$H_1: \sigma_A^2 \neq \sigma_B^2 \quad \text{に対して}, \quad H_0: \sigma_A^2 = \sigma_B^2$$
を検定するわけです．有意水準は 0.05 にしましょう．

先ほど述べましたように，
$$T = \frac{U_A^2/\sigma_A^2}{U_B^2/\sigma_B^2} \text{ は，} F(n_A-1, n_B-1) \text{ に従う}$$
のです．このとき，とくに，$\sigma_A^2 = \sigma_B^2$ と仮定するのですから，
$$T = \frac{U_A^2}{U_B^2} \text{ は，} F(n_A-1, n_B-1) \text{ に従う}$$
ことになります．

いま $n_A-1=6$, $n_B-1=7$ で，自由度 $(6,7)$ の 2.5% 点は，数表から，
$$F_7^6(0.025) = 5.12$$

したがって，棄却域は，右の実線部分になります．

「両側検定なのに，棄却域は片方だけなの？」と，目を

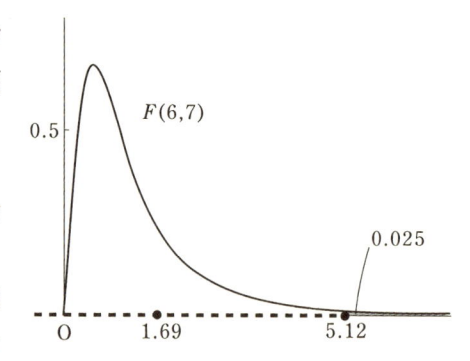

丸くしている方もおられるかもしれませんね．

おっしゃる通り，本来両側にあるものです．ところで，

$$F_7^6(0.975) = \frac{1}{F_6^7(0.025)}$$
$$= \frac{1}{5.70} = 0.18$$

のように，二つの棄却域の間に必ず1があります．

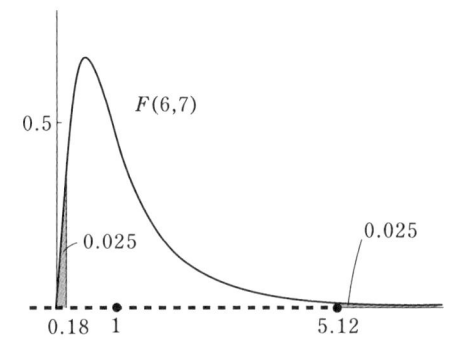

ですから，U_A^2, U_B^2 の大きい方を分子に選べば，$T = \dfrac{U_A^2}{U_B^2} > 1$ の実現値は $t > 1$ となりますので，棄却域は右側だけが問題になるのです．

さて，S北高校の場合，U_A^2, U_B^2, T の実現値は，

$$u_A^2 = \frac{n_A s_A^2}{n_A - 1} = \frac{7 \times 0.9^2}{7-1} = 0.945$$

$$u_B^2 = \frac{n_B s_B^2}{n_B - 1} = \frac{8 \times 0.7^2}{8-1} = 0.560$$

$$t = \frac{u_A^2}{u_B^2} = \frac{0.945}{0.560} = 1.69 < 5.12 = F_7^6(0.025)$$

このように，帰無仮説 $H_0 : \sigma_A^2 = \sigma_B^2$ は棄却されません．

いままで，何度も申し上げましたように，帰無仮説が棄却されないからといって，$\sigma_A^2 = \sigma_B^2$ が立証されたわけではありません．

$\sigma_A^2 = \sigma_B^2$ とも $\sigma_A^2 \neq \sigma_B^2$ とも積極的に断定できるだけのデータ（標本）が入手されていないということです．

ところが目標の $\mu_A = \mu_B$ の検定には，$\sigma_A^2 = \sigma_B^2$ という仮定が必要なのでしたね．困った，困った，どうしましょう．

そこで，$\sigma_A^2 = \sigma_B^2$ を否定するだけの明確な根拠がないのですから，ともかく，$\sigma_A^2 = \sigma_B^2$（母分散は等しい）ということにして，一応先へ進んでみようとするのです．

これは，あたかも，95％以上の確からしさで「嫌いではありません」

としかいわない女性にいい寄ろうとする男の心境．嫌いじゃないけど，誰も好きとはいってないわ，あなたに何の関心もないのに，何するのよ！ピシャリとやられること覚悟の上での行動なのです．

でも，一応，$\sigma_A^2 = \sigma_B^2$ と考えましょう，ということになったのですから，いよいよ，等平均仮説の検定です．

"男子は女子より速いか？" ということですから，

対立仮説：$\mu_A < \mu_B$ に対して， 帰無仮説：$\mu_A = \mu_B$

を，左側検定することになります．有意水準は，0.05 としましょう．

t 分布表から，$t_{13}(0.05) = 1.77$ ですから，棄却域は，次の太線部分：

$$\xleftarrow{\quad\quad}\underset{-1.77}{\bullet}\text{-----}\underset{0}{\bullet}\text{-----}$$

男子女子の各データは，それぞれ，

$N(\mu_A, \sigma_A^2)$：$n_A = 7$，$\bar{x}_A = 7.9$，$s_A = 0.9$

$N(\mu_B, \sigma_B^2)$：$n_B = 8$，$\bar{x}_B = 9.0$，$s_B = 0.7$

ゆえに，統計量 T の実現値 t は，

$$t = \frac{\bar{x}_A - \bar{x}_B}{\sqrt{\left(\frac{1}{n_A} + \frac{1}{n_B}\right) \cdot \frac{n_A s_A^2 + n_B s_B^2}{(n_A - 1) + (n_B - 1)}}}$$

$$= \frac{7.9 - 9.0}{\sqrt{\left(\frac{1}{7} + \frac{1}{8}\right) \times \frac{7 \times 0.9^2 + 8 \times 0.7^2}{(7-1) + (8-1)}}} = -2.47$$

これは，上の棄却域に属しますので，帰無仮説 $\mu_A = \mu_B$ は棄却され，$\mu_A < \mu_B$ すなわち，

50m 走は男子の方が速い

という結論が得られました．ヤレヤレ．

▶注 体力テストは，運動部員だけでなく，一般の生徒全員の，しかも準備も練習もなしの "フイ試験" のようなものです．ですから，思ったほど記録の上がらないものなのです．

それでは，検定方法をまとめておきましょう．

◆正規母集団 $N(\mu_A, \sigma_A^2)$, $N(\mu_B, \sigma_B^2)$ の等分散仮説の検定

H_0	H_1	統計量・分布	棄 却 域
$\sigma_A^2 = \sigma_B^2$	$\sigma_A^2 > \sigma_B^2$	$T = \dfrac{U_A^2}{U_B^2} \geqq 1$ $F(n_A-1, n_B-1)$	$F_{n_B-1}^{n_A-1}(0.05)$
	$\sigma_A^2 \neq \sigma_B^2$		$F_{n_B-1}^{n_A-1}(0.025)$

（有意水準：0.05）

▶注　$U_A^2 < U_B^2$ ならば，A, B を入れかえて，$T \geqq 1$ とする．

［例］ S北高校の体力テストの握力（右）の結果から，次の表を得た．運動部員の方が文化部員より握力が強いといえるか．有意水準0.05で検定せよ．

	人数	平均握力	標準偏差
運動部員	8人	35.0kg	4.98kg
文化部員	9 〃	26.6 〃	4.50 〃

解　運動部員・文化部員の握力 $N(\mu_A, \sigma_A^2)$, $N(\mu_B, \sigma_B^2)$ について，はじめに，

$$H_1 : \sigma_A^2 \neq \sigma_B^2 \quad \text{に対して，} \quad H_0 : \sigma_A^2 = \sigma_B^2$$

を検定する．

$$n_A = 8, \quad \bar{x}_A = 35.0, \quad u_A^2 = \frac{n_A s_A^2}{n_A - 1} = 28.34$$

$$n_B = 9, \quad \bar{x}_B = 26.6, \quad u_B^2 = \frac{n_B s_B^2}{n_B - 1} = 22.78$$

したがって，不偏分散比 T の実現値は，

$$t = \frac{u_A^2}{u_B^2} = \frac{28.34}{22.78} = 1.24 < 4.53 = F_8^7(0.025)$$

よって，$H_0 : \sigma_A^2 = \sigma_B^2$ は棄却されないので，一応 $\sigma_A^2 = \sigma_B^2$ と考えて，

対立仮説 $\mu_A > \mu_B$ に対して， 帰無仮説 $\mu_A = \mu_B$

を検定する．T の実現値は，

$$t = \frac{35.0 - 26.6}{\sqrt{\left(\frac{1}{8} + \frac{1}{9}\right) \times \frac{(8 \times 4.98^2) + (9 \times 4.50^2)}{(8-1) + (9-1)}}} = 3.43$$

したがって，

$$t = 3.43 > 1.75 = t_{15}(0.05)$$

となり，帰無仮説 $\mu_A = \mu_B$ は棄却される．運動部員の方が握力が強いといえる． □

▶**注** 正規母集団 $N(\mu_A, \sigma_A^2)$，$N(\mu_B, \sigma_B^2)$ で，母分散 σ_A^2, σ_B^2 が不明の上，$\sigma_A^2 \neq \sigma_B^2$ と判定されたときは？　ご安心下さい．

$$T = \frac{\overline{X}_A - \overline{X}_B}{\sqrt{\frac{S_A^2}{n_A - 1} + \frac{S_B^2}{n_B - 1}}} \text{ は，} t(m) \text{ に従う}$$

という事実を用いて，いままでと同様に，等平均仮説 $\mu_A = \mu_B$ の検定を実行することができます．この t 分布の自由度 m は，読者のみなさんを脅かすつもりはありませんが，なんと，次の値です：

$$m = \frac{\left(\frac{S_A^2}{n_A - 1} + \frac{S_B^2}{n_B - 1}\right)^2}{\frac{(S_A^2)^2}{(n_A - 1)^3} + \frac{(S_B^2)^2}{(n_B - 1)^3}}$$

この方法は，**ウェルチの検定**とよばれる有名な検定法です．

母比率の検定

環境問題．これは，21 世紀の人類の大きな課題の一つであるように思われます．

大気汚染のある汚染地区の住民 895 名を無作為抽出し，約 93% の 832 名から回答を得ました．その中で，91 名が，いつもセキで困る，と〝持続性咳嗽〟の症状を訴えました．

この地区の有症率は，全国平均の 8.2% より高いといえるでしょうか．いま，この地区の住民全体を母集団と考え，この持続性咳嗽の症状をも

つ住民の比率を p としましょう．

有症率は "8.2％より高いといえるでしょうか" というのですから，
$$H_1: p>0.082 \quad \text{に対して,} \quad H_0: p=0.082$$
を検定することになります．有意水準は 0.05 としましょう．

すなわち，帰無仮説 $p=0.082$ が "珍しい" ことかどうか，起こる確率が 0.05 以下か否かを調べることです．

ところで，この地区の住民の全体を母集団と考えて，ここからのサイズ $n=832$ の標本中 X 名がこの症状をもっているとしますと，人数 X は，
$$\text{二項分布 } Bin(n,p) \text{ に従う}$$
わけです．ところが，$n=832$ は，十分に大きいので，X は，
$$\text{近似的に，正規分布 } N(np, np(1-p)) \text{ に従う}$$
ことになります．したがって，正規化しますと，次が得られます：
$$\frac{X-np}{\sqrt{np(1-p)}} = \frac{\frac{X}{n}-p}{\sqrt{\frac{p(1-p)}{n}}} \text{ は, } N(0,1) \text{ に従う}$$

ここで，標本比率 $\frac{X}{n}$ を $\bar{p}$ とおき，帰無仮説 $p=0.082$ を用いますと，けっきょく，次が標準正規分布 $N(0,1)$ に従うことが分かります：
$$T = \frac{\bar{p}-p}{\sqrt{\frac{p(1-p)}{n}}} = \frac{\bar{p}-0.082}{\sqrt{\frac{0.082 \times 0.918}{832}}} = \frac{\bar{p}-0.082}{0.0095}$$

統計量 T の実現値 t は，

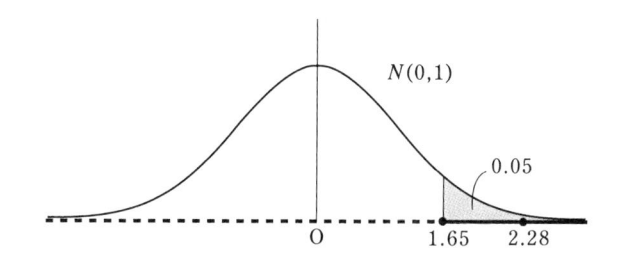

$$t=\frac{\frac{91}{832}-0.082}{0.0095}=2.88>1.65=z(0.05)$$

のように，棄却域に属します．帰無仮説 $p=0.082$ は棄却され，この地域の有症率は全国平均より高いことが認められました．

いま考えたことは，次のように一般化されます：

ある集団のメンバーで性質 A をもつものの割合を p とします．

性質 A をもっているメンバーの値を 1 とし，

性質 A をもってないメンバーの値を 0 とする．

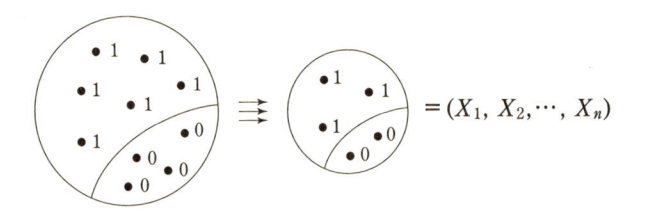

この母集団からのサイズ n の標本の標本平均

$$\bar{X}=\frac{X_1+X_2+\cdots+X_n}{n}=\frac{1\text{の個数}}{n}=\frac{\text{性質}A\text{をもつものの個数}}{n}$$

を，とくに，**標本比**とよび，$\bar{p}$ などと記します．

◆ 二項母集団 $Bin(1,p)$ の母比率 p の検定

H_0	H_1	統計量・分布	棄却域
$p=p_0$	$p>p_0$	$T=\dfrac{\bar{p}-p_0}{\sqrt{\dfrac{p_0(1-p_0)}{n}}}$ $N(0,1)$	1.65
	$p<p_0$		-1.65
	$p\neq p_0$		$-1.96 \quad 1.96$

（大標本，有意水準：0.05）

[例] 学生街で,いつも長い行列のできるラーメン店Sちゃんは,客の7割までが半チャンラーメン600円也を注文するという.

偶然に訪れたある日,ランダムに選んだ40人の客のうち24人が半チャンラーメンを食べ,満足して帰って行った.

本当に7割と考えてよいか.有意水準0.05で検定せよ.

解 $H_0: p=0.7$ $H_1: p \neq 0.7$ $\bar{p}=24/40=0.6$

したがって,統計量 T の実現値は,

$$t = \frac{\bar{p}-p_0}{\sqrt{\frac{p_0(1-p_0)}{n}}} = \frac{0.6-0.7}{\sqrt{\frac{0.7 \times 0.3}{40}}} = -1.38 > -1.96$$

よって,H_0 は棄却されない.これだけの資料からは,注文率は70%という仮説は否定できない.結論は得られない. □

━━━ 練習問題 ━━━

4.2.1 時計のS社特選品腕時計は,説明書によると,誤差(標準偏差)月間3秒だという.

次は,誤差のサイズ9の標本である.(+:進み,−:遅れ)

  $+2, -6, -1, 0, +4, +5, -4, -3, +3$

誤差は,説明書通りと考えてよいか.有意水準0.05で検定せよ.

▶注 母平均=時計の誤差全体の平均=0 と考えられる.

4.2.2 次は,中高併設K学園のある年のK高校入試得点の無作為標本である.

  K中学在席者: 460 440 430 520 400
  他中学在席者: 440 500 320 290 530 440 (点)

K中学在席者と他校在席者のあいだに成績の差があるといえるか.

4.2.3 1999年度就業者の26.1%がサービス業に従事している(「平成11年労働力調査年報」).同年K学園卒業生200人を無作為抽出したところ,サービス業は30.9%であった.全国平均より高率といえるか.有意水準0.05で検定せよ.

4.3. メンデルの法則を検証する法

適合度の検定

K農事試験場における〝えんどう豆〟の交配実験の結果は，次のようでした：

種　　類	円形黄色	円形緑色	角形黄色	角形緑色	計
実測個数	271	78	95	20	464

　メンデルの遺伝の法則によれば，これらの個数の比率は，9：3：3：1になります．

　この実験結果は，メンデルの法則に適合しているといえるでしょうか？

　もし，この法則通りに，比率がキッカリ9：3：3：1になっているのでしたら，それぞれの個数は，総数464個の

$$\frac{9}{16},\ \frac{3}{16},\ \frac{3}{16},\ \frac{1}{16}$$

になるわけですから，

　　　　　　261，　87，　87，　29　（個）

という数になるハズです．

　これらの数字

　　　　実測個数：　271　　78　　95　　20
　　　　理論個数：　261　　87　　87　　29

を比べて，一致していないので〝メンデルの法則に従ってない！〟などといってはいけません．

　この実測個数は，あくまでも〝標本値〟なのです．

　また，えんどう豆が受粉受精後何らかの原因で発生しなかったり，虫に喰われたり，病死したりするかもしれません．

　もう一度，上の数字をよくご覧下さい．

　実測値と理論値は，ピッタリ一致してはいませんが，**よく似た値**です．

問題は〝どの程度近いか〟ということです．

代数とか幾何とかという数学では，よく似ていても完全に一致しなくては誤りなのです（遠からずといえども当たらず）．でも，統計学や日常生活では，似ているだけで十分なのです（当たらずといえども遠からず）．

たとえ数秒遅れても，L特急はAM9時に発車したことになります．

たとえ数グラム多くても，スキ焼きの肉は500グラム分の代金で売ってくれますよね．

問題は〝ズレの程度〟なのです．

そこで，上のえんどう豆の個数について，実測値と理論値との差を取ってみますと，

$$271-261 \quad 78-87 \quad 95-87 \quad 20-29$$

これらの差の合計が小さいほどズレも小さいわけですが，単純に，このまま合計しますと，プラス・マイナスが打ち消しあって，

$$(271-261)+(78-87)+(95-87)+(20-29)=0$$

のように，和は，いつも $=0$ になってしまいます．

そこで，分散を考えたときのように，それぞれの〝2乗〟の合計

$$(271-261)^2+(78-87)^2+(95-87)^2+(20-29)^2$$

を考えますと $\geqq 0$ となる上に，〝2乗〟が実測値と理論値の違いを強調してくれます．

でも，これだけでは，まだ不十分なのです．たとえば，

円形黄色（理論値261） … $271-261=10$

角形緑色（理論値 29） … $20-29=-9$

を比べてみましょう．

円形黄色のズレ10の方が，角形緑色のズレ9より小さいと見るべきでしょう．261万円もっている人の10万円と，29万円しかない人の9万円の〝重さ〟を考えて下さい．

そこで，（実測値－理論値）^{2} を理論値で割って，豆1粒あたりのズレを作り，その合計を考えましょう：

$$\frac{(271-261)^2}{261}+\frac{(78-87)^2}{87}+\frac{(95-87)^2}{87}+\frac{(20-29)^2}{29}$$

いま考えてきた，えんどう豆の話を一般化すると，次のようです．

いま，一つの母集団が，$C_1, C_2, \cdots, C_k$ という排反的な k 個の部分集団（クラス）に分割されていて，これらの母比率を，$p_1, p_2, \cdots, p_k$ とするとき，

これらの母比率は，$\bar{p}_1, \bar{p}_2, \cdots, \bar{p}_k$ である

という仮説を検定するのです．この種の検定を**適合度の検定**とよびます．

さて，この母集団からのサイズ n の標本のうち，クラス C_i に属するものの実測度数を X_i とします．

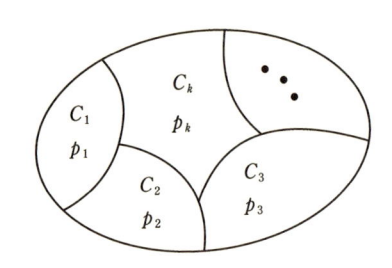

クラス	C_1	C_2	$\cdots$	C_k	計
実測度数	X_1	X_2	$\cdots$	X_k	n
理論比率	$\bar{p}_1$	$\bar{p}_2$	$\cdots$	$\bar{p}_k$	1
理論度数	$n\bar{p}_1$	$n\bar{p}_2$	$\cdots$	$n\bar{p}_k$	n

このとき，

$H_0: p_1 = \bar{p}_1, \; p_2 = \bar{p}_2, \cdots, p_k = \bar{p}_k$

$H_1: p_i \neq \bar{p}_i$ となるクラスがある

としますと，H_1 に対して，H_0 を検定するわけです．

この帰無仮説 H_0 の下で，実測度数と理論度数との"喰い違い"

$$\frac{(X_i - n\bar{p}_i)^2}{n\bar{p}_i}$$

の総和

$$T = \sum_{i=1}^{k} \frac{(X_i - n\bar{p}_i)^2}{n\bar{p}_i} = \frac{(X_1 - n\bar{p}_1)^2}{n\bar{p}_1} + \cdots\cdots + \frac{(X_k - n\bar{p}_k)^2}{n\bar{p}_k}$$

は，$n\bar{p}_1≧5, n\bar{p}_2≧5, …, n\bar{p}_k≧5$ のとき，
　　　　近似的に自由度 $k-1$ の χ^2 分布に従う
ことが知られているのです．

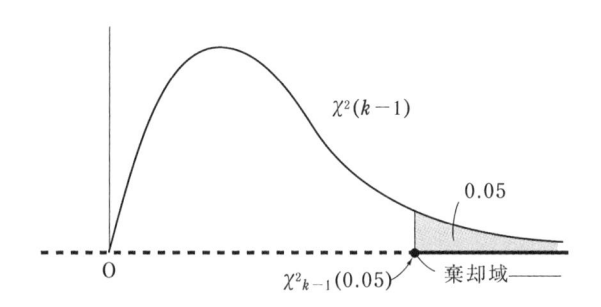

有意水準を 0.05 としますと，棄却域は，上図のようになります．
▶注　$np_i<5$ なるクラスがあれば，山村過疎地の小学校の複式学級のように，隣接のクラスと合併します．
　　この検定を，χ^2 **検定**とよぶこともあり，**つねに右側検定**です．

それでは，さっそく，先ほどの"えんどう豆"についてやってみますと，
　　　H_0：円黄・円緑・… の比率は，9：3：3：1である
　　　H_1：円黄・円緑・… の比率は，9：3：3：1でない
いま，有意水準を 0.05 とします．
自由度＝4－1＝3，$\chi_3^2(0.05)=7.81$ ですから棄却域は，

検定統計量 T の実現値
$$t=\frac{(271-261)^2}{261}+\frac{(78-87)^2}{87}+\frac{(95-87)^2}{87}+\frac{(20-29)^2}{29}=4.84$$
は，棄却域に属しません．H_0 は棄却されず，交配実験の結果は，メンデルの法則に従っていないとはいえず，何の結論も得られなかった，というのがこの検定の結論です．

[**例**] 5枚の硬貨を 32 回投げて，下表を得た：

表の枚数	0	1	2	3	4	5	計
実測回数	1	6	7	10	7	1	32

硬貨の表の枚数 X は，生起確率 $\frac{1}{2}$ の二項分布 $Bin\left(5, \frac{1}{2}\right)$ に従っているといえるか．有意水準 0.05 で検定せよ．

解　H_0：硬貨の表の枚数 X は，$Bin\left(5, \frac{1}{2}\right)$ に従っている

H_1：硬貨の表の枚数 X は，$Bin\left(5, \frac{1}{2}\right)$ に従っていない

帰無仮説 H_0 を仮定すると，

$$P(X=k) = {}_5C_k \left(\frac{1}{2}\right)^k \left(\frac{1}{2}\right)^{5-k} = \frac{{}_5C_k}{2^5} \quad (k=0, 1, \cdots, 5)$$

そこで，次の表を作る：

X	0	1	2	3	4	5	計
実測値	1	6	7	10	7	1	32
	_7_				_8_		
理論値	1	5	10	10	5	1	32
	_6_				_6_		

このように，理論値<5 のところは，隣接のクラスと合併する．その結果，4 クラスになる．

自由度 $=4-1=3$, $\chi_3^2(0.05)=7.81$

検定統計量 T の実現値 t は，

$$t = \frac{(7-6)^2}{6} + \frac{(7-10)^2}{10} + \frac{(10-10)^2}{10} + \frac{(8-6)^2}{6} = 1.73$$

したがって，

$$t = 1.73 < 7.81 = \chi_3^2(0.05)$$

となって，H_0 は棄却されない．　□

[例] 下表は，S北高校1年女子の50m走の記録である．このタイム X は，正規分布 $N(9.1, 0.6^2)$ に従っていると見なせるか．有意水準0.05で検定せよ．

タイム（秒）	7.45〜7.45	7.45〜7.95	7.95〜8.45	8.45〜8.95	8.95〜9.45	9.45〜9.95	9.95〜10.45	10.45〜	計
人数	1	2	8	27	21	21	1	2	83

解 H_0：データは，$N(9.1, 0.6^2)$ に従う
H_1：データは，$N(9.1, 0.6^2)$ に従わない

H_0 の下で，たとえば，階級 7.45〜7.95 の理論度数は，

$$83 \times P(7.45 \leq X \leq 7.95)$$
$$= 83 \times P\left(\frac{7.45-9.1}{0.6} \leq Z \leq \frac{7.95-9.1}{0.6}\right)$$
$$= 83 \times P(-2.75 \leq Z \leq -1.92)$$
$$= 83 \times 0.024$$
$$= 2.0$$

他の階級も同様にして，理論度数を計算し，次の表を得る：

タイム（秒）	〜7.45	7.45〜7.95	7.95〜8.45	8.45〜8.95	8.95〜9.45	9.45〜9.95	9.95〜10.45	10.45〜	計
実測値	1	2	8	27	21	21	1	2	83
	____11____					____24____			
理論値	0.2	2.0	9.4	21.7	26.4	16.9	5.4	1.0	83
	____11.6____					____23.3____			

理論値 ≥ 5，実測値 ≥ 5 となるようにクラスを合併すると，4クラスにな

るので，

$$\text{自由度}=4-1=3, \quad \chi_3^2(0.05)=7.81$$

そこで，検定統計量 T の実現値 t は，

$$t=\frac{(11-11.6)^2}{11.6}+\frac{(27-21.7)^2}{21.7}+\frac{(21-26.4)^2}{26.4}+\frac{(24-23.3)^2}{23.3}$$
$$=2.45$$

となるので，

$$t=2.45<7.81=\chi_3^2(0.05)$$

したがって，H_0 は棄却されない．このデータからは，50m走のタイムが正規分布 $N(9.1, 0.6^2)$ に従っていないとはいえない． □

ゼロからゼミナール　epoch-making

適合度の検定で"メンデルの法則"が出てきましたが，これは，いつごろの話なのでしょうか．

　1856 年　フロイト（精神分析）生まれる
　1859 年　ダーウィン『種の起源』
　1861 年　南北戦争（　～1865）
　1865 年　メンデルの法則
　1867 年　マルクス『資本論』（第1巻）
　1868 年　明治維新

ご覧のように"幕末→維新"というまさに激動の時代でしたが，科学も社会とは独立の存在ではあり得ないのでしょうか．この時期は，自然科学・社会科学でも一つの歴史を作る研究著作が世に問われた時期でもありました．

メンデルの法則が注目されるようになったのは，ドイツ・オーストリアなどの3人の生物学者によって，この法則が再発見された1900年に至ってでありました．フロイト『夢の解釈』（初版）公刊も，この年1900年のことです．

正規確率紙

母分布が正規分布と見なせるかどうかを**図から判定**する方法を紹介しましょう．

正規分布と見なせるとなれば，その平均 μ，標準偏差 σ も**図から読み取れる**——こんな有難い方法があるのです．正規確率紙の利用です．

　横　軸　…　等分目盛
　縦　軸　…　座標 y の所に，x までの相対累積％を目盛る

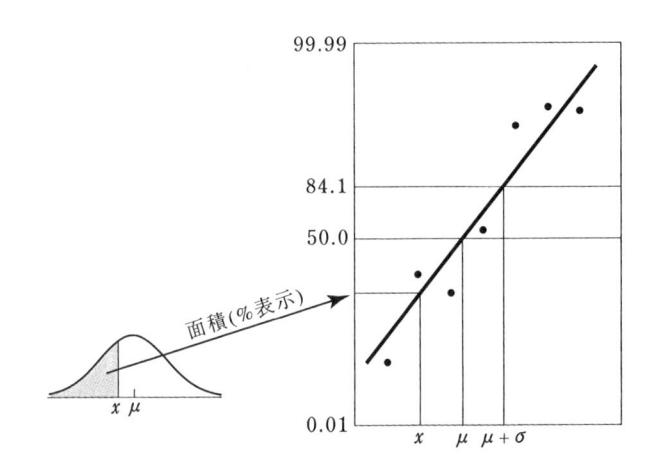

このように目盛ったものが**正規確率紙**です．

次の度数分布表をご覧下さい：

階　級	度数	相対累積度数(%)
$\sim a_1$	f_1	$b_1 = 100 F_1/N$
$a_1 \sim a_2$	f_2	$b_2 = 100 F_2/N$
$a_2 \sim a_3$	f_3	$b_3 = 100 F_3/N$
$\vdots$	$\vdots$	$\vdots$
$a_n \sim$	f_{n+1}	$b_{n+1} = 100$
計	N	———

$$F_i = f_1 + \cdots + f_i$$

この度数分布表の母集団が正規母集団 $N(\mu, \sigma^2)$ と見なせるとき，
$$n \text{ 個の点 } (a_1, b_1), (a_2, b_2), \cdots, (a_n, b_n)$$
は，正規確率紙上に，ほぼ一直線に並びます．このとき，この直線と，

  50.0％ラインとの交点の横座標から　…　μ　を読む

  84.1％ラインとの交点の横座標から　…　$\mu + \sigma$ を読む

ことができます．

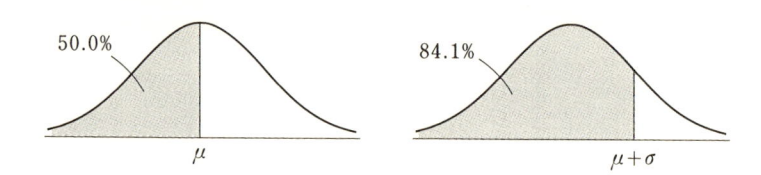

▶注　正規確率紙は市販されていますが，この本の p.209 に見本があります．ご利用下さい．

[例]　次は，S北高1年男子体力テストの持久走（1500m）の記録である．母分布を正規分布と見なしてよいか．正規確率紙を用いて判定し，それが採択されるならば，母平均・母標準偏差を図から読み取れ．

タイム	5′30″〜5′30″	6′00″〜6′00″	6′30″〜6′30″	7′00″〜7′00″	7′30″〜7′30″	8′00″〜8′00″	8′30″〜8′30″	計
人数	1	13	18	21	15	11	9	3	91

解　（階級上端値，相対累積度数％表示）の表を作る：

上端値	5′30″	6′00″	6′30″	7′00″	7′30″	8′00″	8′30″	9′00″
累計％	1	15	35	58	75	87	97	100

これらを正規確率紙にプロットすると，次ページのように，ほぼ一直線に並ぶから，母分布は正規分布と見なせる．

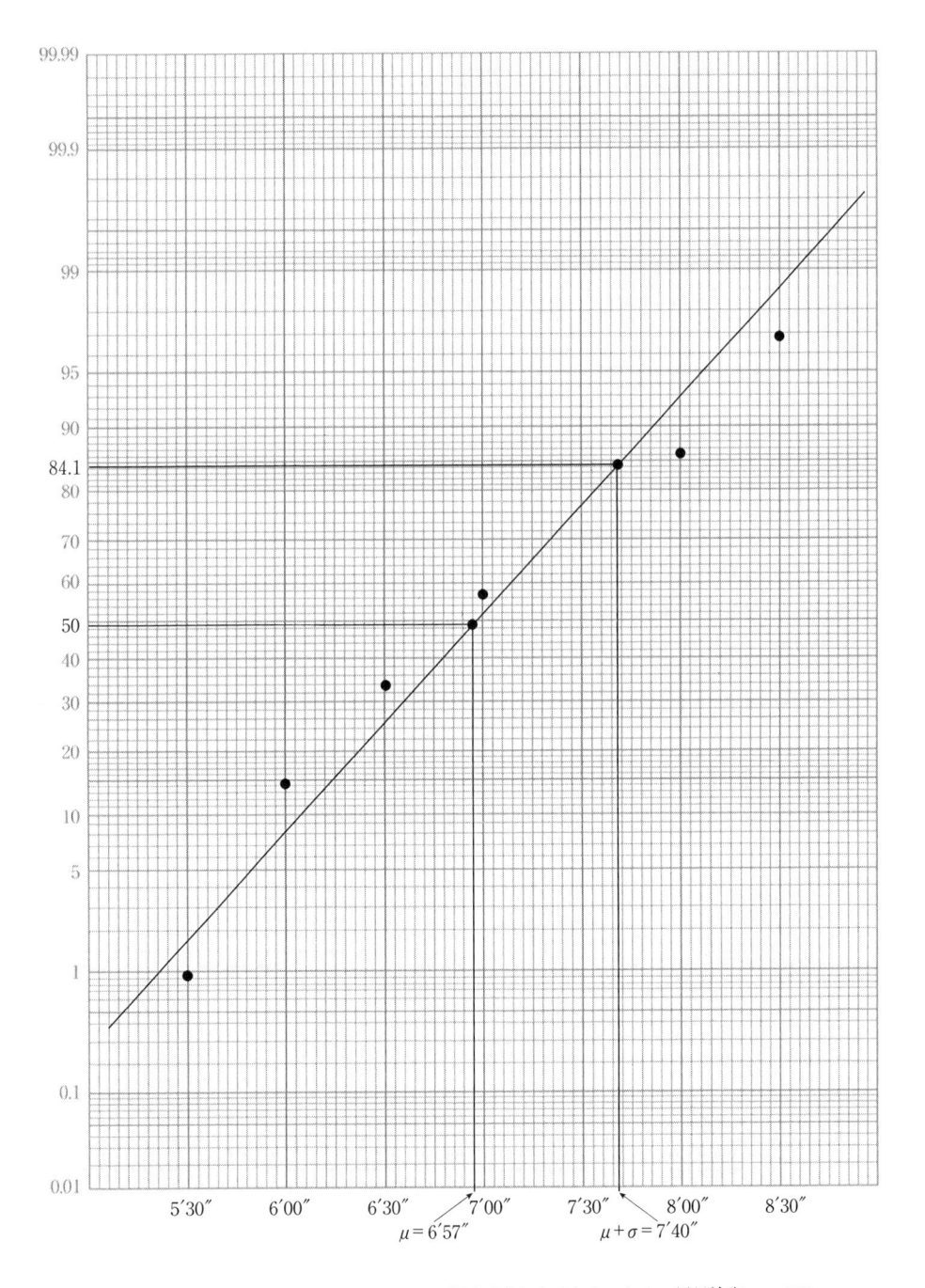

第 4 章◎これでわかった！　仮説検定

この直線（目分量で引く）と，

  50％ラインとの交点を読んで，$\mu=6'57''$

  84％ラインとの交点を読んで，$\mu+\sigma=7'40''$

これから，

   母平均：6分57秒，母標準偏差：43秒　　　　□

▶**注1**　問題の度数分布表から直接計算しますと，

   $\mu=6$分55秒　　$\sigma=51$秒

直線は，目分量で引くので，人によっていろいろですが，それから求めた μ，σ は，ほとんど変わらないものなのです．

 2　母分布が**正規分布**のとき，プロットした点は**一直線上**に並びますが，他の分布の場合はどうなるのでしょうか？

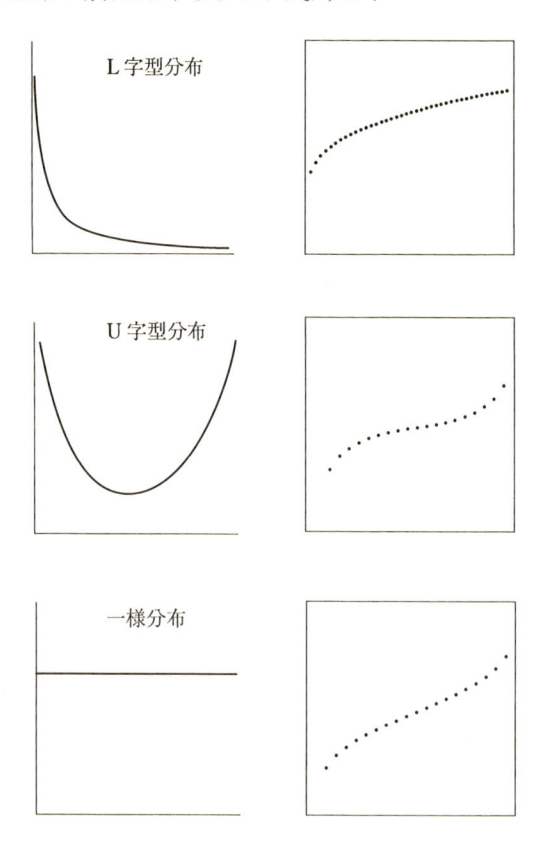

L字型分布

U字型分布

一様分布

独立性の検定

N工業大学では，3人の教授（愛称黒ちゃん・白ちゃん・青ちゃん）が永年にわたって"統計学"の講義を受け持っています．

最近，学生のあいだから，先生によって成績評価のキビシサに違いがあるのでは，という声が出て，実際に調べてみることにしたのです．

H_0：先生のあいだに評価基準の差はない

を検定するわけです．

次の表が，ある年のA（優），B（良），C（可），D（不可）の先生別の人数です．

	A	B	C	D	計
黒田	4	21	22	8	55
白井	14	13	22	21	70
青木	3	14	16	10	43
計	21	48	60	39	168

この表を一見して，黒田・青木の両先生は，A・Dが少なくB・Cが多いのに対して，白井先生は，A～Dがまあ平均化しているかな，という印象を受けます．

先生のあいだにキビシサの差はない，と仮定したのですから，そうだとすれば，それぞれの人数（理論値）は，周辺の人数の比21：48：60：39になるわけです．

	A	B	C	D	計
黒田	6.9	15.7	19.6	12.8	55
白井	8.8	20.0	25.0	16.3	70
青木	5.4	12.3	15.4	10.0	43
計	21	48	60	39	168

これは，四捨五入による近似値であることを申し添えます．

また，太い活字で印刷した数字は自由に決められるもので，この個数

$$(縦の枠数-1) \times (横の枠数-1) = 2 \times 3 = 6$$

が χ^2 分布の自由度になります．

さて，これらのデータについて，実測値と理論値との喰い違い

$$\frac{(実現値-理論値)^2}{理論値}$$

の総和を計算してみますと，

$$t = \frac{(4-6.9)^2}{6.9} + \frac{(21-15.7)^2}{15.7} + \frac{(22-19.6)^2}{19.6} + \frac{(8-12.8)^2}{12.8}$$

$$+ \frac{(14-8.8)^2}{8.8} + \frac{(13-20.0)^2}{20.0} + \frac{(22-25.0)^2}{25.0} + \frac{(21-16.3)^2}{16.3}$$

$$+ \frac{(3-5.4)^2}{5.4} + \frac{(14-12.3)^2}{12.3} + \frac{(16-15.4)^2}{15.4} + \frac{(10-10.0)^2}{10.0}$$

$$= 13.7$$

$$自由度 = 6, \quad \chi_6^2(0.05) = 12.59$$

したがって，きわどくも，

$$t = 13.7 > 12.59 = \chi_6^2(0.05)$$

で，H_0 は有意水準 0.05 で棄却され，先生のキビシサに差があるということになります．

一般には，次のようになります．

母集団が，A, B という二つの性質によって，mn 個のクラスに分割されているとしましょう：

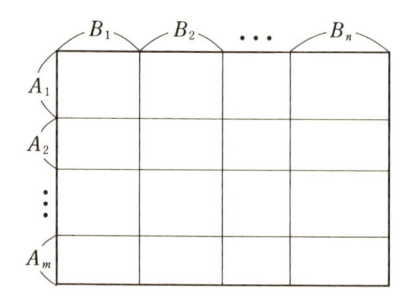

このとき，mn 個の各クラスの実現度数を次の通りとしましょう：

A＼B	B_1	B_2	$\cdots$	B_n	計
A_1	X_{11}	X_{12}	$\cdots$	X_{1n}	$X_{1\bullet}$
A_2	X_{21}	X_{22}	$\cdots$	X_{2n}	$X_{2\bullet}$
$\vdots$	$\vdots$	$\vdots$		$\vdots$	$\vdots$
A_m	X_{m1}	X_{m2}	$\cdots$	X_{mn}	$X_{m\bullet}$
計	$X_{\bullet 1}$	$X_{\bullet 2}$	$\cdots$	$X_{\bullet n}$	N

この表を，**$m \times n$ 分割表**といいます．このとき，

H_0：性質 A, B は互いに独立である

と仮定しますと，

性質 A_i, B_j をもつクラスの理論度数は，$N p_{ij}$

となります．ただし，

$$p_{ij} = \frac{X_{i\bullet}}{N} \frac{X_{\bullet j}}{N}$$

このとき，統計量

$$T = \sum_{i=1}^{m} \sum_{j=1}^{n} \frac{(X_{ij} - N p_{ij})^2}{N p_{ij}}$$

は，各クラスの理論度数が，$N p_{ij} \geqq 5$ を満たすとき，近似的に，自由度 $(m-1)(n-1)$ の χ^2 分布に従うことを用いて，検定が実行できます．

2×2 分割表・イェツの補正

とくに，次の実現値をもつ 2×2 分割表を考えてみます：

A＼B	B_1	B_2	計
A_1	a	b	$a+b$
A_2	c	d	$c+d$
計	$a+c$	$b+d$	N

このとき，検定統計量の実現値は，次のようになります：
$$t=\frac{N(ad-bc)^2}{(a+b)(c+d)(a+c)(b+d)}$$
この事実を確かめておきましょう．

4個の理論値 $\begin{array}{|cc|} \bar{a} & \bar{b} \\ \bar{c} & \bar{d} \end{array}$ は，次のようになります：

B\A	B_1	B_2	計
A_1	$(a+b)(a+c)/N$	$(a+b)(b+d)/N$	$a+b$
A_2	$(c+d)(a+c)/N$	$(c+d)(b+d)/N$	$c+d$
計	$a+c$	$b+d$	N

さて，$N=a+b+c+d$ ですから，
$$a-\bar{a}=\frac{a(a+b+c+d)-(a+b)(a+c)}{N}=\frac{ad-bc}{N}$$
$$\frac{(a-\bar{a})^2}{\bar{a}}=\left(\frac{ad-bc}{N}\right)^2\frac{N}{(a+b)(a+c)}=\frac{(ad-bc)^2}{N}\frac{1}{(a+b)(a+c)}$$
などから，
$$\frac{(a-\bar{a})^2}{\bar{a}}+\frac{(b-\bar{b})^2}{\bar{b}}=\frac{(ad-bc)^2}{N}\left\{\frac{1}{(a+b)(a+c)}+\frac{1}{(a+b)(b+d)}\right\}$$
$$=\frac{(ad-bc)^2}{N}\frac{1}{a+b}\frac{N}{(a+c)(b+d)}$$
ゆえに，
$$t=\frac{(a-\bar{a})^2}{\bar{a}}+\frac{(b-\bar{b})^2}{\bar{b}}+\frac{(c-\bar{c})^2}{\bar{c}}+\frac{(d-\bar{d})^2}{\bar{d}}$$
$$=(ad-bc)^2\left\{\frac{1}{a+b}\frac{1}{(a+c)(b+d)}+\frac{1}{c+d}\frac{1}{(a+c)(b+d)}\right\}$$
$$=\frac{N(ad-bc)^2}{(a+b)(c+d)(a+c)(b+d)}$$
となって，気持ちよく，証明すべき等式が得られました．

次の例をご覧下さい．

[**例**] ある地方で，470人を無作為抽出して，ある伝染病の予防接種の効果を調査した．

予防接種は有効であったといえるか．有意水準0.05で検定せよ．

	罹病	非罹病	計
注射した	3	285	288
注射しない	7	175	182
計	10	460	470

解 H_0：注射の有無と罹病(りびょう)とは無関係である

を検定する．

$$自由度=(2-1)\times(2-1)=1,\ \chi_1^2(0.05)=3.84$$

検定統計量 T の実現値 t は，

$$t=\frac{470\times(3\times175-285\times7)^2}{288\times182\times10\times460}=4.21>3.84=\chi_1^2(0.05)$$

ゆえに，H_0 は棄却され，予防接種は有効だったといえる． □

さて，この例では実際の発病者は，3人・7人で，小さい数です．

このような場合は，発病者1の増減が T の実現値に大きく影響します．

そこで周辺度数をこのままにして，各度数 a, b, c, d を四捨五入によって得られた整数と考え，本来 A, B が独立なのに H_0 が棄却されてしまう可能性を少なくするように，a, b, c, d を0.5ずつ補正しようというのが，**イェツの補正**の考え方です．

A＼B	B_1	B_2	計
A_1	$a\pm0.5$	$b\mp0.5$	$a+b$
A_2	$c\mp0.5$	$d\pm0.5$	$c+d$
計	$a+c$	$b+d$	N

この分割表について，検定統計量は，

$$t = \frac{N((a\pm 0.5)(d\pm 0.5)-(b\mp 0.5)(c\mp 0.5))^2}{(a+b)(c+d)(a+c)(b+d)}$$

$$= \frac{N((ad-bc)\pm 0.5N)^2}{(a+b)(c+d)(a+c)(b+d)}$$

これは，$\pm 0.5N$ の取り方で二つの式を表わしますが，小さい方は，

$$t = \frac{N(|ad-bc|-0.5N)^2}{(a+b)(c+d)(a+c)(b+d)}$$

とかけます．これがイェツの補正を行った統計実現値です．

試みに，先ほど（前ページ）の予防接種の効果の検定に適用してみましょう．はたして，

$$t = \frac{470\times(|3\times 175 - 285\times 7|-0.5\times 460)^2}{288\times 182\times 10\times 460} = 3.00 < 3.84 = \chi_1^2(0.05)$$

となって，H_0 は棄却されないという逆の結論になってしまいます．

═══ 練習問題 ═══

4.3.1 日本人の血液型 A，O，B，AB の比率は，4：3：2：1 であることが知られている．

A 教育大生 280 人を無作為抽出して下表を得た．

この大学の学生の血液型分布は，日本人全体の母比率と一致していると考えてよいか．有意水準 0.05 で検定せよ．

血液型	A	O	B	AB	計
人　数	101	88	70	21	280

4.3.2 3 本に 1 本当るという商店街の福引きを，ちょうど 5 本引いた客 27 人から，当りくじの本数を聞いて下表を得た．

当りは，3本の1本の割といってよいか．有意水準0.05で検定せよ．

当った本数	0	1	2	3	4	5	計
人　数	2	12	6	5	2	0	27

4.3.3 次は，学生112人の得点分布表である：

得　点	～30	30～40	40～50	50～60	60～70	70～80	80～	計
人　数	5	7	24	45	20	6	5	112

（1）得点 X は，正規分布 $N(55, 13^2)$ に従うと考えてよいか．有意水準0.05で検定せよ．

（2）正規確率紙を用いて，得点分布が正規分布と考えてよいか判定し，それが採択されたとき，母平均・母標準偏差を図から読み取れ．

4.3.4 ある都市で450人の女性について，1日のテレビ視聴時間を調査して，下表を得た．女性の年令と視聴時間に関係があるといえるか．有意水準0.05で検定せよ．

	2時間以内	2～3時間	3時間以上
20才以下	40人	30人	28人
21～25才	44〃	22〃	16〃
26才以上	110〃	62〃	98〃

4.3.5 右表は，P, Q両社からの納品の標本結果である．

会社によって不良品の数に違いがあるか，イェツの補正を行う場合とそうでない場合について，有意水準0.05で検定せよ．

	良品	不良品	計
P社	392	5	397
Q社	236	9	245
計	628	14	642

4.4. 風が吹けばカラオケ屋が儲かる？

無相関検定

風が吹けば桶(オケ)屋が儲かる．

昔のことわざを〝風が吹けばカラオケ屋が儲かる〟と感違いしたK君は，マイクをもったら放さないカラオケ大好き男です．

行きつけのカラオケ Box「ティフィク」が台風の日に空(す)いていたことを思い出し，

その日の風速と来客数とは無関係ではないぞ！

との感触をもち，両者に何らかの相関があることを統計学的に立証しようと思い立ちました．

このような検定の一般論は，次のようです．

いま，(X_1, Y_1)，(X_2, Y_2)，…，(X_n, Y_n) を，母相関係数 $\overset{\text{ロー}}{\rho}=0$ の2次元正規母集団からのサイズ n の標本とします．

▶**注 2次元正規分布**というのは，図のような曲面を同時密度関数とする分布で，x 軸に垂直な平面による切り口も，y 軸に垂直な平面による切り口も，ともに**正規曲線**になるものです．

とくに，$\rho=0$ のときは，X, Y は独立に正規分布に従います．

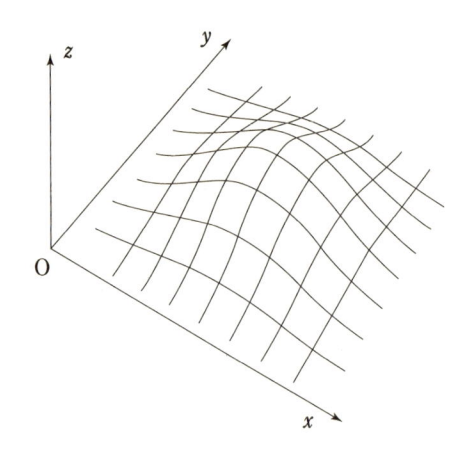

さて，このサイズ n の標本から計算した標本相関係数 R は，密度関数が，

$$f(x) = A_n (1-x^2)^{\frac{n-4}{2}} \quad (A_n は n ごとに決まる定数)$$

の分布に従い，さらに，

統計量 $T = \dfrac{\sqrt{n-2}\, R}{\sqrt{1-R^2}}$ は，自由度 $n-2$ の t 分布に従う

ことが知られているのです．

さっそく，K君は検定作業に入りました．

その日の風速 X（m/秒）とカラオケBoxティフィクの来客数 Y（人）の同時確率変数 (X, Y) は2次元正規分布に従う，と考えましょう．

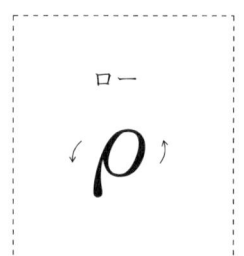

その母相関係数 ρ について，

$H_1 : \rho \neq 0$ （風速とティフィクの来客数に相関がある）

に対して，

$H_0 : \rho = 0$ （風速とティフィクの来客数は無相関）

を検定するわけです．

そこで，台風シーズンから無作為に9日を選び，次の結果を得ました：

風速 X	15	5	10	30	5	10	20	5	10
来客数 Y	121	110	139	90	144	130	133	109	120

この数値から，標本相関係数 R の実現値 r を計算しますと，

$$r = -0.46$$

という願ってもない数値を得たK君でしたが，これから，上の検定統計量 T の実現値 t を求めてみますと，はたして，

$$t = \frac{\sqrt{n-2}\, r}{\sqrt{1-r^2}} = \frac{\sqrt{9-2} \times (-0.46)}{\sqrt{1-(-0.46)^2}} = -1.37$$

となってしまい，

$$t = -1.37 > -2.37 = -t_7(0.025)$$

残念ながら，有意水準 0.05 で，$\rho = 0$ を棄却できないのです．

▶注 $r=-0.46$ というかなりの値が得られました．それでも $\rho=0$ を棄却できないのはなぜでしょう？

それは，標本サイズ $n=9$ が小さいからなのです．

次の［例］は，**サイズの大きさの偉力**を如実に物語っています：

［**例**］ ある2次元正規母集団からのサイズ30の標本による標本相関係数は，$r=-0.46$ であった．

母相関係数は，$\rho \neq 0$ と考えてよいか，有意水準 0.05 で検定せよ．

解 検定統計量 T の実現値 t は，
$$t=\frac{\sqrt{30-2}\times(-0.46)}{\sqrt{1-(-0.46)^2}}=-2.71<-2.05=-t_{28}(0.025)$$

よって，$H_0: \rho=0$ は棄却され，X, Y のあいだに相関関係があると考えられる． □

```
┌─────────────────┐
│ $\rho=0$ を棄却 │
│       ⬇        │
│  "強い相関あり" │
│  と誤解するな！ │
└─────────────────┘
```

▶注 帰無仮説 $\rho=0$ が棄却されても，

　　$\rho \neq 0$（何らかの相関がある）

が得られただけです．"強い相関がある"

と思い込んでいる人が多いので，ご注意を．

まとめておきましょう．

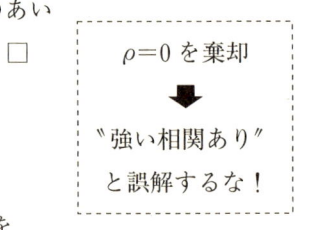

◆ 2次元正規母集団の無相関検定

H_0	H_1	統計量・分布	棄却域
$\rho=0$	$\rho \neq 0$	$T=\dfrac{\sqrt{n-2}\,R}{\sqrt{1-R^2}}$ $t(n-2)$	$-t_{n-2}(0.025)$　　$t_{n-2}(0.025)$

（標準サイズ：n，有意水準：0.05）

母相関係数の検定

授業終了後などに，よく留学生から話しかけられることがありますが，"よくこれだけ日本語を勉強したな"と感心することがしばしばです．

外国人のためのある日本語能力試験で，無作為抽出した72人の語彙力と読解力の得点の相関係数は 0.76 でした．

母相関係数は，はたして，いくらくらいなのでしょうか？
母相関係数の推定・検定問題の解決は，次の事実によります：

◆ポイント ──────────────── **相関係数と z 変換**

母相関係数が $\rho \neq 0$ の 2 次元正規母集団からのサイズ n の標本による標本相関係数を R とすれば，

$$Z = h(R) = \frac{1}{2}\log\frac{1+R}{1-R}$$

は，n が十分に大きいとき，近似的に正規分布

$$N\left(h(\rho),\ \frac{1}{n-3}\right)$$

に従う．すなわち，

$$T = \frac{h(R) - h(\rho)}{1/\sqrt{n-3}}\ \text{は，}\ N(0,1)\ \text{に従う．}$$

▶注　$\rho \neq 0$ の場合，R 自身の分布は難しいのですが，$h(R)$ の分布は，近似的に正規分布になるというのです．

$r \to h(r) = \dfrac{1}{2}\log\dfrac{1+r}{1-r}$ を**フィッシャーの z 変換**とよび，巻末に**変換表**があります．

信頼度 95% の場合，$h(\rho)$ の信頼限界は，$h(R) \pm \dfrac{1.96}{\sqrt{n-3}}$ ですから，

$$h(\rho_1) = h(R) - 1.96/\sqrt{n-3}$$
$$h(\rho_2) = h(R) + 1.96/\sqrt{n-3}$$

となる ρ_1, ρ_2 を **z 変換表・2** (p.208) から求めますと，

$$\rho_1 \leq \rho \leq \rho_2$$

が，求める母相関係数 ρ の**信頼区間**になります．

さて，上の日本語能力試験の語彙力と読解力との相関係数の場合は，標本サイズ $n=72$ は大きく，$r=0.76$ ですから，T の実現値 t は，

$$t = \frac{h(r) - h(\rho)}{1/\sqrt{n-3}} = \frac{h(0.76) - h(\rho)}{1/\sqrt{72-3}} = \frac{0.996 - h(\rho)}{1/\sqrt{69}}$$

は，（近似的に）$N(0,1)$ に従うのですから，

$$-1.96 \leq \frac{0.996 - h(\rho)}{1/\sqrt{69}} \leq 1.96$$

$$\therefore \quad 0.760 \leq h(\rho) \leq 1.231$$

ゆえに，求める ρ の信頼区間は，

$$0.64 \leq \rho \leq 0.85$$

> 信頼上界 … 大きめに
> 信頼下界 … 小さめに

◆ 2 次元正規母集団の母相関係数 ρ の検定

H_0	H_1	統計量・分布	棄却域
$\rho = \rho_0$	$\rho > \rho_0$	$T = \dfrac{h(R) - h(\rho_0)}{1/\sqrt{n-3}}$ 近似的に，$N(0,1)$	●――― 1.65
	$\rho < \rho_0$		――― ● -1.65
	$\rho \neq \rho_0$		● ――― ● -1.96　1.96

（$\rho_0 \neq 0$，$n > 10$，有意水準：0.05）

ゼロからゼミナール　　相関は直線的関係

次の変量 x, y を，ご覧下さい：

x	-2	-1	0	1	2
y	4	1	0	1	4

$\overline{xy} = \bar{x}\,\bar{y}$ ですから，相関係数は，

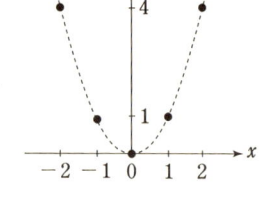

$$r(x, y) = 0$$

ですが，x, y にあいだに何の関係もないのかといえば，そうではありません．$y = x^2$ という 2 次の関係があります．

"相関関係" は，あくまで 1 次の関係なのです．**無相関**というのは，**1 次の関係がない**ということです．

[**例**] ある地方で，女子高生 350 人を無作為抽出して，握力と球投げ(ボール)の相関係数を計算したら，0.52 であった．

(1) 母相関係数は，0.6 以下と見なせるか．（有意水準 0.05）

(2) 母相関係数 ρ の 95% 信頼区間を求めよ．

解 （握力の記録，球投げの記録）は，2 次元正規分布に従うものと考える．

(1) $H_0: \rho = 0.60$ $H_1: \rho < 0.60$

$$t = \frac{h(0.52) - h(0.60)}{1/\sqrt{350-3}} = \frac{0.576 - 0.693}{1/\sqrt{347}}$$
$$= -2.18 < -1.65 = -z(0.05)$$

ゆえに，H_0 は棄却され，母相関係数は 0.6 以下と見なせる．

(2) まず，

$$h(0.52) - \frac{1.96}{\sqrt{350-3}} \leq h(\rho) \leq h(0.52) + \frac{1.96}{\sqrt{350-3}}$$

$$0.576 - 0.106 \leq h(\rho) \leq 0.576 + 0.106$$

$$\therefore \quad 0.470 \leq h(\rho) \leq 0.682$$

ゆえに，求める母相関係数 ρ の 95% 信頼区間は，

$$0.43 \leq \rho \leq 0.60 \qquad \square$$

━━━━ **練習問題** ━━━━

4.4.1 ある中学で，無作為に抽出された中学 3 年生 35 人の数学の得点と国語の得点の相関係数は，0.33 であった．

両者のあいだに相関関係があるといえるか，有意水準 0.05 で検定せよ．

4.4.2 ある高校で無作為抽出された 50 人の身長と体重の相関係数は，0.69 であった．（身長，体重）は，2 次元正規分布に従うものとして，

(1) 母相関係数は，0.5 以上と考えてよいか．（有意水準 0.05）

(2) 母相関係数の 95% 信頼区間を求めよ．

練習問題の解または略解

1.1.1 $R=\text{Max}-\text{Min}=95-40=55$, $N=51$, 階級数$=6$ とする.

階級	階級値	度数	相対度数	累積度数	相対累積度数
～49.5	44.5	3	5.9%	3	5.9%
49.5～59.5	54.5	6	11.8	9	17.6
59.5～69.5	64.5	12	23.5	21	41.2
69.5～79.5	74.5	18	35.3	39	76.5
79.5～89.5	84.5	8	15.7	47	92.2
89.5～	94.5	4	7.8	51	100.0
計	──	51	100.0	──	──

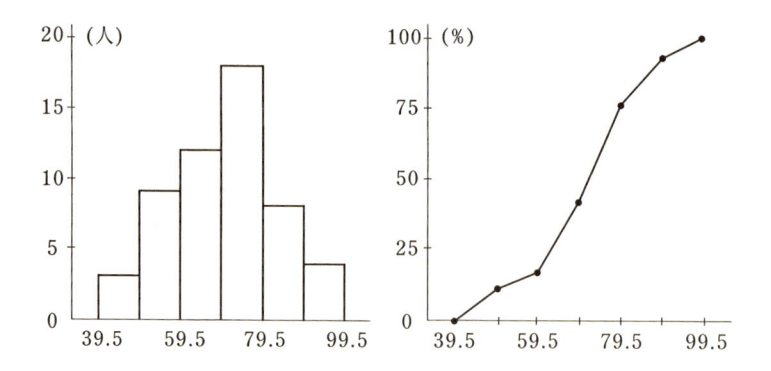

1.2.1 $\bar{x}=25.6$ (四捨五入), $\widetilde{x}_0=24, 27$ (ともにモード), $Me(x)=24$
$\sigma^2(x)=\overline{x^2}-(\bar{x})^2=6032/9-(230/9)^2=17.14$
$Cv(x)=\sigma(x)/\bar{x}=0.16$

1.2.2 定義通りに計算する.

(1) $\bar{x} = \dfrac{1}{N}\left\{0\cdot\dfrac{1}{2k^2}N + m\left(1-\dfrac{1}{k^2}\right)N + 2m\dfrac{1}{2k^2}N\right\} = m$

(2) $\sigma^2(x) = m^2/k^2$, $\sigma(x) = m/k$

(3) $|x_k - \bar{x}| < k\sigma(x)$ すなわち $|x_k - m| < m$ を満たす x_k は m だけだから,その度数は,$(1 - 1/k^2)N$.

1.3.1 $r(x, y) = \dfrac{10 \times 17531 - 244 \times 714}{\sqrt{(10 \times 6036 - 244^2)(10 \times 51256 - 714^2)}} = 0.72$

1.3.2 (1) $r(x, y) = 0.924$
$l_1: y = 3.29x - 2.07 \quad l_2: y = 3.85x - 3.19$

(2) $r(x, y) = 0$
$l_1: y = 1.8 \quad l_2: x = 3$

2.1.1

X	1	2	3	4	5	6	計
P	$\dfrac{1}{36}$	$\dfrac{3}{36}$	$\dfrac{5}{36}$	$\dfrac{7}{36}$	$\dfrac{9}{36}$	$\dfrac{11}{36}$	1

$E(X^2) = \left(1^2 \times \dfrac{1}{36}\right) + \left(2^2 \times \dfrac{3}{36}\right) + \left(3^2 \times \dfrac{5}{36}\right)$
$\qquad + \left(4^2 \times \dfrac{7}{36}\right) + \left(5^2 \times \dfrac{9}{36}\right) + \left(6^2 \times \dfrac{11}{36}\right) = \dfrac{791}{36}$

∴ $V(X) = E(X^2) - E(X)^2 = \dfrac{791}{36} - \left(\dfrac{161}{36}\right)^2 = \dfrac{2555}{1296} = 1.97$

2.1.2 $E(Y) = E\left(\dfrac{X - \mu}{\sigma}\right) = \dfrac{1}{\sigma}(E(X) - \mu) = 0$

$V(Y) = V\left(\dfrac{X - \mu}{\sigma}\right) = \dfrac{1}{\sigma^2}V(X) = 1$

2.2.1

X \ Y	0	1	計
0	$\dfrac{30}{52}$	$\dfrac{9}{52}$	$\dfrac{3}{4}$
1	$\dfrac{10}{52}$	$\dfrac{3}{52}$	$\dfrac{1}{4}$
計	$\dfrac{10}{13}$	$\dfrac{3}{13}$	1

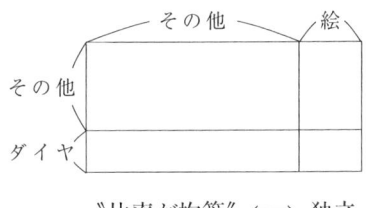

"比率が均等" ⟺ 独立

$$P(X=i, Y=j) = P(X=i)P(Y=j) \quad (i=0,1\,;\,j=0,1)$$

が，つねに成立するので，X, Y は独立．

2.2.2 （1） $C(x, y) = \sum_i \sum_j (x_i - E(X))(y_j - E(Y)) p_{ij}$

$= \sum_i \sum_j x_i y_j p_{ij} - E(X) \sum_j y_j p_{\bullet j} - E(Y) \sum_i x_i p_{i\bullet}$

$\hspace{6cm} + E(X)E(Y) \sum_i \sum_j p_{ij}$

$= E(XY) - E(X)E(Y) - E(Y)E(X) + E(X)E(Y)$

$= E(XY) - E(X)E(Y)$

（2） $X, Y : 独立 \iff p_{ij} = p_{i\bullet} \times p_{\bullet j}$ だから，

$$E(XY) = \sum_i \sum_j x_i y_j p_{ij} = \left(\sum_i x_i p_{i\bullet}\right)\left(\sum_j y_j p_{\bullet j}\right) = E(X)E(Y)$$

より明らか．

2.2.3

$X \backslash Y$	0	1	2	計
0	0	2/4	0	2/4
1	1/4	0	1/4	2/4
計	1/4	2/4	1/4	1

$E(X) = 2/4$, $E(Y) = 4/4$, $E(XY) = 2/4$ となるから，

$C(X, Y) = E(XY) - E(X)E(Y) = 0 \quad \therefore \quad \rho(X, Y) = 0$

たとえば，$P(X=0, Y=0) \neq P(X=0)P(Y=0)$ だから，X, Y は独立ではない．

2.3.1 $p_{k+1} > p_k \iff k < 50 \times \dfrac{1}{3} - \dfrac{2}{3} \iff k < 16$

$\cdots < p_{15} < p_{16} = p_{17} > p_{18} > \cdots \quad \therefore \quad$ 最大項は，p_{16}, p_{17}

2.4.1 ① 0.4 ② 1 ③ 0.025 ④ 0.34
⑤ -2.58 ⑥ 20 ⑦ 5 ⑧ 0.136

2.4.2 偏差値を X とすると，$E(X) = 50$, $\sigma(X) = 10$

$Z = (X - 50)/10$ は，$N(0, 1)$ に従うから，上位15％に入るのは，

$X=50+10z(0.15)=50+10\times 1.04=60.4$(点)以上.

2.4.3 (1) $N(152.8, 8.1^2)$で,$Z=(X-152.8)/8.1$とおく.
$P(150\leq X\leq 160)=P(-0.35\leq Z\leq 0.89)=0.1368+0.3133=0.4501$
∴ $9970\times 0.4501=4487.49$ ∴ 約4500人

(2) $z(1500/9970)=z(0.15)=1.04$
∴ $X=152.8+8.1\times 1.04=161.2$(cm)

2.4.4 $Bin(30, 0.5)$を$N(30\times 0.5, 30\times 0.5\times 0.5)$すなわち,$N(15, 7.5)$で近似し,半整数補正を行うと,
$$P(10\leq X\leq 19)=P\left(\frac{9.5-15}{\sqrt{7.5}}\leq Z\leq \frac{19.5-15}{\sqrt{7.5}}\right)$$
$$=P(-2.01\leq Z\leq 1.64)=0.9273\fallingdotseq 0.93$$

2.4.5 $N(20, 5^2)$と$N(40, 12^2)$の再生性により,通学時間Xは,$N(60, 13^2)$に従う.[∵ $20+40=60$, $5^2+12^2=13^2$]
$Z=(X-60)/13$は,$N(0,1)$に従うから,
$X=60+13z(0.05)=60+13\times 1.65\fallingdotseq 82$(分) ∴ 7時38分

3.1.1 次の理由で,(1)〜(3)は,どれも乱数として使えない.
(1) $\sqrt{2}$は,計算可能.
(2) "現在使われておりません" 番号があり,等確率性が崩れる.
(3) "廃車や下2桁42と49" など,欠番がある.

3.1.2 世帯によって成人の人数が異なるので,この抽出法では,成人数の少ない世帯の成人は抽出される確率が大きくなり,適切ではない.

3.1.3 略

3.1.4 (1) $\mu=\dfrac{1}{4}(2+3+6+9)=5$
$\sigma^2=\dfrac{1}{4}\{(2-5)^2+(3-5)^2+(6-5)^2+(9-5)^2\}=\dfrac{15}{2}$

(2) 略

3.1.5 $P\left(|\overline{X}-\mu|<\dfrac{\sigma}{4}\right)=P\left(\left|\dfrac{\overline{X}-\mu}{\sigma/\sqrt{n}}\right|<\dfrac{\sqrt{n}}{4}\right)\geq 0.95$
∴ $\dfrac{\sqrt{n}}{4}\geq 1.96$ ∴ $n\geq 61.4\cdots$ 最小のnは,62.

3.2.1 信頼限界は，$152.2 \pm 1.96 \times \dfrac{6.2}{\sqrt{150}} = 152.2 \pm 0.99$

$$\therefore \quad 151.2 \leq \mu \leq 153.2$$

次に，$1.96 \times \dfrac{6.2}{\sqrt{n}} \leq 0.5 \quad \therefore \quad n \geq 590.6 \quad$ 約 590 人以上

3.2.2 $\bar{x} = 37, \ u = 4.17$ となるから，

$$37 \pm 2.365 \times \dfrac{4.17}{\sqrt{8}} = 37 \pm 3.49 \quad \therefore \quad 33.5 \leq \mu \leq 40.5$$

3.3.1 $\bar{x} = 5.55, \ ns^2 = (n-1)u^2 = 0.021, \ u/\sqrt{n} = 0.017 \ $ となる．

（1） $\dfrac{ns^2}{\chi^2_{n-1}(0.025)} \leq \sigma^2 \leq \dfrac{ns^2}{\chi^2_{n-1}(0.975)}$

$$\therefore \quad \dfrac{0.021}{17.53} \leq \sigma^2 \leq \dfrac{0.021}{2.18}$$

$$\therefore \quad 0.001 \leq \sigma^2 \leq 0.010$$

（2） $\bar{x} \pm t_8(0.025)\, u/\sqrt{n} = 5.55 \pm 2.31 \times 0.017 = 5.55 \pm 0.04$

$$\therefore \quad 5.51 \leq \mu \leq 5.59$$

（3） $\bar{x} \pm 1.96 \sigma/\sqrt{n} = 5.55 \pm 1.96 \times 0.015 = 5.55 \pm 0.03$

$$\therefore \quad 5.52 \leq \mu \leq 5.58$$

3.3.2 $0.72 \pm 1.96 \sqrt{\dfrac{0.72 \times 0.28}{100}} = 0.72 \pm 0.09$

$$\therefore \quad 0.63 \leq p \leq 0.81$$

3.3.3 （1） $0.525 \pm 1.96 \sqrt{\dfrac{0.525 \times 0.475}{200}} = 0.525 \pm 0.069$

$$\therefore \quad 0.456 \leq p \leq 0.594$$

（2） $1.96 \sqrt{\dfrac{0.525 \times 0.475}{n}} \leq 0.05 \quad \therefore \quad n \geq 383.1 \cdots$

$$\therefore \quad \text{およそ } 390 \text{ 人以上}$$

4.1.1 $H_0 : \mu = 360 \qquad H_1 : \mu \neq 360$

$$t = \dfrac{361 - 360}{5/\sqrt{40}} = 1.26 < 1.96$$

H_0 は棄却されない．機械は正しく調整されていないとはいえない．

4.1.2 $H_0: \mu=795 \quad H_1: \mu<795 \quad (\mu: Y$ 君の得点力$)$

$\bar{x}=776$, $u^2=1634.5$, $u=40.4$ となるから，

$$t=\frac{776-795}{40.4/\sqrt{5}}=-1.05>-2.13=-t_4(0.05)$$

H_0 は棄却されない．合格困難とはいえない．

▶**注** このようなとき，予備校は〝努力次第〞というらしい．

4.1.3 特別食および普通食で育つマウスの体重の全体から成る母集団を，それぞれ，$N(\mu_A, \sigma_A^2)$ および $N(\mu_B, \sigma_B^2)$ とする．

$H_0: \mu_A=\mu_B \quad H_1: \mu_A>\mu_B$

$$t=\frac{13.1-6.0}{\sqrt{\left(\dfrac{1}{11}+\dfrac{1}{9}\right)\times\dfrac{11\times 1.7^2+9\times 1.4^2}{(11-1)+(9-1)}}}=9.53>1.73=t_{18}(0.05)$$

H_0 は棄却され，特別食は体重の増加に寄与したといえる．

4.2.1 問題の特選品のすべての時計の月間誤差の全体から成る母集団を想定すると，その母平均は，$\mu=0$（母平均既知）と考えられる．

$H_0: \sigma^2=3^2 \quad H_1: \sigma^2\neq 3^2$

$\bar{X}$ の実現値を計算すると，$\bar{x}=0$ となるから，

$$t=\frac{1}{3^2}\{(+2-0)^2+(-6-0)^2+\cdots+(+3-0)^2\}=12.89$$

$$\therefore \quad t=12.89<19.02=\chi_9^2(0.025)$$

H_0 は棄却されない．説明書通りではないとはいえない．

4.2.2 K 中学および外部の中学在席者の得点の全体から成る母集団を，それぞれ，$N(\mu_A, \sigma_A^2)$ と $N(\mu_B, \sigma_B^2)$ とする．

まず，$\sigma_A^2\neq\sigma_B^2$ に対して，$\sigma_A^2=\sigma_B^2$ を検定する．

$n_A=5$, $\bar{x}_A=450$, $u_A^2=2000$

$n_B=6$, $\bar{x}_B=420$, $u_B^2=9240$

であるから，

$$t=\frac{u_B^2}{u_A^2}=\frac{9240}{2000}=4.62<9.36=F_4^5(0.025)$$

$\sigma_A^2=\sigma_B^2$ は棄却されないから，一応 $\sigma_A^2=\sigma_B^2$ と考えて，$\mu_A\neq\mu_B$ に対して $\mu_A=\mu_B$ を検定する．T の実現値 t は，

$$t = \frac{450 - 420}{\sqrt{\left(\frac{1}{5} + \frac{1}{6}\right) \times \frac{4 \times 2000 + 5 \times 9240}{(5-1) + (6-1)}}} = 0.64$$

$$t = 0.64 < 2.26 = t_9(0.025)$$

$\mu_A = \mu_B$ は棄却されない．差があるとはいえない．

4.2.3 K学園の全卒業生のうちサービス業従事者の比率を p とする．

$H_0 : p = 0.261 \quad H_1 : p > 0.261$

$$t = \frac{0.309 - 0.261}{\sqrt{\frac{0.261 \times 0.739}{200}}} = 1.55 < 1.65$$

H_0 は棄却されない．全国平均より高率とはいえない．

4.3.1 H_0 : A, O, B, AB型の比率は，4:3:2:1である

H_1 : A, O, B, AB型の比率は，4:3:2:1ではない

帰無仮説 H_0 の下で，理論値を計算し，次の表を得る：

	A	O	B	AB	計
実測値	101	88	70	21	280
理論値	112	84	56	28	280

このとき，検定統計量 T の実現値 t は，

$$t = \frac{(101-112)^2}{112} + \frac{(88-84)^2}{84} + \frac{(70-56)^2}{56} + \frac{(21-28)^2}{28} = 6.52$$

$$t = 6.52 < 7.81 = \chi_3^2(0.05)$$

H_0 は棄却されない．A 教育大生の血液型の比率は，日本人全体の比率と一致していないとはいえない．

4.3.2 $H_0 : p = \frac{1}{3} \quad H_0 : p \neq \frac{1}{3}$ （ p : 当る確率 ）

$p = \frac{1}{3}$ のとき，くじを5本引いたときの当りくじの本数 X は，二項分布 $Bin\left(5, \frac{1}{3}\right)$ に従う．理論値は次の表のようになる：

X	0	1	2	3	4	5	計
実現値	2	12	6	5	2	0	27
	\multicolumn{2}{c}{14}		\multicolumn{3}{c}{7}	
理論値	3.6	8.9	8.9	4.4	1.1	0.1	27
	\multicolumn{2}{c}{12.5}		\multicolumn{3}{c}{5.6}	

実現値の 0,1 は合わせて 14、3,4,5 は合わせて 7。理論値の 0,1 は合わせて 12.5、3,4,5 は合わせて 5.6。

$$t = \frac{(14-12.5)^2}{12.5} + \frac{(6-8.9)^2}{8.9} + \frac{(7-5.6)^2}{5.6} = 1.47 < 5.99 = \chi_2^2(0.05)$$

したがって，H_0 は棄却できない．

4.3.3 （1） H_0：得点は $N(55, 13^2)$ に従う

H_1：得点は $N(55, 13^2)$ に従わない

仮説 H_0 の下で理論値を求めるために，次の表を作る：

階級 $a_{i-1}-a_i$	$b_i = \dfrac{a_i-55}{13}$	相対累計 $\Phi(b_i)$	$p_1 = \Phi(b_i) - \Phi(b_{i-1})$	理論値 Np_i	実測値 x_i
~30	−1.92	0.027	0.027	3.0 ⎱ 14.0	5 ⎱ 12
30~40	−1.15	0.125	0.098	11.0 ⎰	7 ⎰
40~50	−0.38	0.352	0.227	25.4	24
50~60	0.38	0.648	0.296	33.2	45
60~70	1.15	0.875	0.227	25.4	20
70~80	1.92	0.973	0.098	11.0 ⎱ 14.0	6 ⎱ 11
80~		1.000	0.027	3.0 ⎰	5 ⎰
計	—	—	1.000	112.0	112

$$t = \frac{(12-14.0)^2}{14.0} + \frac{(24-25.4)^2}{25.4} + \cdots + \frac{(11-14.0)^2}{14.0}$$
$$= 6.35 < 11.4 = \chi_4^2(0.05)$$

H_0 は棄却されない．

(2)

上端値	30	40	50	60	70	80	90
累計%	4.5	10.7	32.1	72.3	90.2	95.5	100.0

これらをプロットすると，ほぼ一直線上に並ぶので，正規分布に従うと考えられる．

図から，

$\mu = 55$

$\mu + \sigma = 67$

$\therefore \begin{cases} \mu = 55 \\ \sigma = 12 \end{cases}$

▶注 度数分布表から直接計算すると，

$\begin{cases} \mu = 54.5 \\ \sigma = 12.9 \end{cases}$

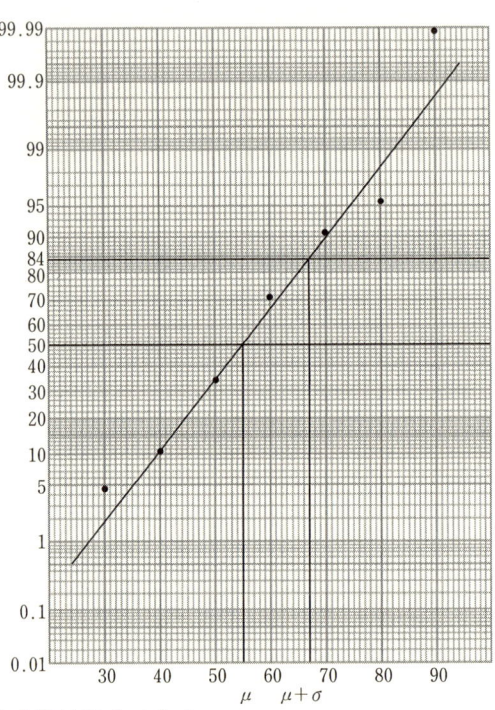

4.3.4 H_0：年令と視聴時間は独立である

H_1：年令と視聴時間は独立ではない

	～2時間	2～3時間	3～	計
～20才	42.2	24.8	30.9	98
21～25才	35.4	20.8	25.9	82
26～	116.4	68.4	85.2	270
計	194	114	142	450

$$t=\frac{(40-42.2)^2}{42.2}+\frac{(30-24.8)^2}{24.8}+\cdots+\frac{(98-85.2)^2}{85.2}$$
$$=10.29>9.49=\chi_4^2(0.05)$$

H_0 は棄却される．年令と視聴時間とは独立ではない．

4.3.5 H_0：会社によって製品不良率は変わらない

H_1：会社によって製品不良率は異なる

イェツの補正を行う場合，および行わない場合，それぞれ，T の実現値は，
$$t=\frac{642\times(392\times9-5\times236)^2}{397\times245\times628\times14}=4.14>3.84=\chi_1^2(0.05)$$
$$t=\frac{642\times(|392\times9-5\times236|-0.5\times642)^2}{397\times245\times628\times14}=3.08<3.84$$

イェツの補正を行わないとき，H_0 は棄却される．

イェツの補正を行うとき，H_0 は棄却されない．

4.4.1 H_0：$\rho=0$　　H_1：$\rho\neq0$
$$t=\frac{\sqrt{35-2}\times0.33}{\sqrt{1-0.33^2}}=2.01<2.04=t_{33}(0.025)$$

H_0 は棄却されない

4.4.2 （1）H_0：$\rho=0.5$　　H_1：$\rho>0.5$
$$t=\frac{h(0.69)-h(0.50)}{1/\sqrt{50-3}}=\frac{0.848-0.549}{1/\sqrt{47}}=2.05>1.65$$

H_0 は棄却され，$\rho>0.5$ と考えてよい．

（2）$h(0.69)-\dfrac{1.96}{\sqrt{50-3}}\leq h(\rho)\leq h(0.69)+\dfrac{1.96}{\sqrt{50-3}}$

$$0.562\leq h(\rho)\leq 1.134$$
$$\therefore\quad 0.5\leq\rho\leq0.82$$

―― 解答終わり ――

乱 数 表

90577 76957	11340 29273	85708 99846	57458 96198	80281 15441
16907 19380	07357 52526	36632 80735	17004 52019	81297 49370
49132 65491	36542 79270	71483 45705	80636 54179	47573 72851
86615 21706	81472 07439	24326 94448	46510 30314	87237 17732
33848 72637	02536 87301	99219 70505	16243 44336	18399 77514
28757 86194	67692 98884	70514 49291	67084 57760	10321 03488
48515 91931	38449 84693	32729 80957	18674 47561	76386 63222
48444 12502	24198 18256	72121 87744	08462 17483	12374 05542
60520 23162	92152 87938	31099 55643	03236 62799	94553 41882
78482 76854	51643 47407	48634 56935	66571 91446	20243 03086
10394 20021	98067 07271	11515 98020	59971 63493	16923 87712
62467 24531	50313 76731	13596 49025	16534 23006	25813 14431
60619 90867	34300 79006	31250 75721	96510 09163	05643 60825
34391 63942	67578 22132	90018 31401	62779 61074	61043 30588
70013 17803	43782 46643	22552 88328	03680 98663	91147 61850
09239 07664	54709 03385	09399 10237	55944 12153	20314 15691
75107 83527	90937 81529	88501 72374	72493 78280	28084 75565
72020 67665	17642 39596	19100 92050	74470 85938	15653 62502
78960 26840	53602 61234	66119 61551	94461 13711	66764 91263
93847 62153	28128 20593	41343 71341	75373 11270	99657 25042
42850 43202	55336 94586	79683 33171	14144 57721	54102 53524
86626 63034	39181 17971	30804 16013	29554 82832	21880 56111
59254 97332	80248 28738	11692 67471	70992 54478	36551 68174
44953 02918	91856 59223	95947 51277	28785 11781	26399 92596
54266 75049	92379 45916	70656 45983	66213 90311	00855 16969
64484 03378	19051 24129	37186 83461	31500 59336	91256 33205
64902 35175	23219 07633	57385 46142	59320 90387	29304 53714
06822 55184	79010 90104	57112 56527	10361 74333	29775 32560
84998 77465	65942 51885	40779 55806	17442 68407	93609 79192
93450 63788	70651 38011	99893 47960	96293 22978	58218 00365
76097 93324	57516 40496	15956 64381	70273 66609	29520 46897
21347 70415	49916 35355	14033 83057	89493 03498	98039 14021
74970 70604	73870 55128	50606 16704	66612 90143	53886 34434
08654 77391	52199 03735	48199 19231	64096 33490	94148 38453
04011 33195	58741 28941	51744 21390	46729 56742	77947 33757
91539 68211	64980 62247	99794 19493	94171 85740	23359 12190
74202 38414	48427 88347	28815 01312	73776 47381	07303 45688
81049 16457	49314 00844	03282 10740	95319 15822	50012 66631
31739 07957	82067 67715	35547 02104	07705 15902	62315 42331
42672 77597	89458 88408	44731 53105	97459 55656	48216 04159
12033 50107	82192 22106	41154 29998	38784 79965	06951 63955
41783 82867	72476 81345	50171 93474	72375 45731	55573 76041
04567 09411	29368 44955	19855 56892	34563 06215	44914 89002
93494 96200	86510 64160	15271 43877	73505 92280	05148 36568
50488 31992	14276 03903	70263 08403	68564 41715	20786 21336

標準正規分布の確率 $I(z)$

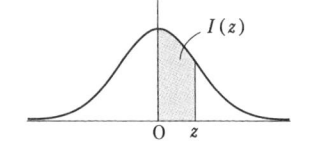

$z \longrightarrow I(z)$

z	0.00	0.01	0.02	0.03	0.04	0.05	0.06	0.07	0.08	0.09
0.0	0.0000	0.0040	0.0080	0.0120	0.0160	0.0199	0.0239	0.0279	0.0319	0.0359
0.1	.0398	.0438	.0478	.0517	.0557	.0596	.0636	.0675	.0714	.0754
0.2	.0793	.0832	.0871	.0910	.0948	.0987	.1026	.1064	.1103	.1141
0.3	.1179	.1217	.1255	.1293	.1331	.1368	.1406	.1443	.1480	.1517
0.4	.1554	.1591	.1628	.1664	.1700	.1736	.1772	.1808	.1844	.1879
0.5	.1915	.1950	.1985	.2019	.2054	.2088	.2123	.2157	.2190	.2224
0.6	.2258	.2291	.2324	.2357	.2389	.2422	.2454	.2486	.2518	.2549
0.7	.2580	.2612	.2642	.2673	.2704	.2734	.2764	.2794	.2823	.2852
0.8	.2881	.2910	.2939	.2967	.2996	.3023	.3051	.3078	.3106	.3133
0.9	.3159	.3186	.3212	.3238	.3264	.3289	.3315	.3340	.3365	.3389
1.0	.3413	.3438	.3461	.3485	.3508	.3531	.3554	.3577	.3599	.3621
1.1	.3643	.3665	.3686	.3708	.3729	.3749	.3770	.3790	.3810	.3830
1.2	.3849	.3869	.3888	.3907	.3925	.3944	.3962	.3980	.3997	.4015
1.3	.4032	.4049	.4066	.4082	.4099	.4115	.4131	.4147	.4162	.4177
1.4	.4192	.4207	.4222	.4236	.4251	.4265	.4279	.4292	.4306	.4319
1.5	.4332	.4345	.4357	.4370	.4382	.4394	.4406	.4418	.4429	.4441
1.6	.4452	.4463	.4474	.4484	.4495	.4505	.4515	.4525	.4535	.4545
1.7	.4554	.4564	.4573	.4582	.4591	.4599	.4608	.4616	.4625	.4633
1.8	.4641	.4649	.4656	.4664	.4671	.4678	.4686	.4693	.4699	.4706
1.9	.4713	.4719	.4726	.4732	.4738	.4744	.4750	.4756	.4761	.4767
2.0	.4772	.4778	.4783	.4788	.4793	.4798	.4803	.4808	.4812	.4817
2.1	.4821	.4826	.4830	.4834	.4838	.4842	.4846	.4850	.4854	.4857
2.2	.4861	.4864	.4868	.4871	.4875	.4878	.4881	.4884	.4887	.4890
2.3	.4893	.4896	.4898	.4901	.4904	.4906	.4909	.4911	.4913	.4916
2.4	.4918	.4920	.4922	.4925	.4927	.4929	.4931	.4932	.4934	.4936
2.5	.4938	.4940	.4941	.4943	.4945	.4946	.4948	.4949	.4951	.4952
2.6	.4953	.4955	.4956	.4957	.4959	.4960	.4961	.4962	.4963	.4964
2.7	.4965	.4966	.4967	.4968	.4969	.4970	.4971	.4972	.4973	.4974
2.8	.4974	.4975	.4976	.4977	.4977	.4978	.4979	.4979	.4980	.4981
2.9	.4981	.4982	.4982	.4983	.4984	.4984	.4985	.4985	.4986	.4986
3.0	.4987	.4987	.4987	.4988	.4988	.4989	.4989	.4989	.4990	.4990
3.1	.4990	.4991	.4991	.4991	.4992	.4992	.4992	.4992	.4993	.4993
3.2	.4993	.4993	.4994	.4994	.4994	.4994	.4994	.4995	.4995	.4995
3.3	.4995	.4995	.4995	.4996	.4996	.4996	.4996	.4996	.4996	.4997
3.4	.4997	.4997	.4997	.4997	.4997	.4997	.4997	.4997	.4997	.4998
3.5	.4998	.4998	.4998	.4998	.4998	.4998	.4998	.4998	.4998	.4998
3.6	.4998	.4998	.4999	.4999	.4999	.4999	.4999	.4999	.4999	.4999
3.7	.4999	.4999	.4999	.4999	.4999	.4999	.4999	.4999	.4999	.4999

t 分布のパーセント点

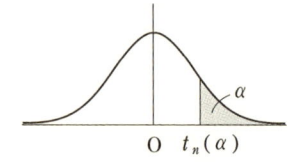

$\alpha \longrightarrow t_n(\alpha)$

n \ α	0.100	0.050	0.025	0.010	0.005
1	3.078	6.314	12.706	31.821	63.657
2	1.886	2.920	4.303	6.965	9.925
3	1.638	2.353	3.182	4.541	5.841
4	1.533	2.132	2.776	3.747	4.604
5	1.476	2.015	2.571	3.365	4.032
6	1.440	1.943	2.447	3.143	3.707
7	1.415	1.895	2.365	2.998	3.499
8	1.397	1.860	2.306	2.896	3.355
9	1.383	1.833	2.262	2.821	3.250
10	1.372	1.812	2.228	2.764	3.169
11	1.363	1.796	2.201	2.718	3.106
12	1.356	1.782	2.179	2.681	3.055
13	1.350	1.771	2.160	2.650	3.012
14	1.345	1.761	2.145	2.624	2.977
15	1.341	1.753	2.131	2.602	2.947
16	1.337	1.746	2.120	2.583	2.921
17	1.333	1.740	2.110	2.567	2.898
18	1.330	1.734	2.101	2.552	2.878
19	1.328	1.729	2.093	2.539	2.861
20	1.325	1.725	2.086	2.528	2.845
21	1.323	1.721	2.080	2.518	2.831
22	1.321	1.717	2.074	2.508	2.819
23	1.319	1.714	2.069	2.500	2.807
24	1.318	1.711	2.064	2.492	2.797
25	1.316	1.708	2.060	2.485	2.787
26	1.315	1.706	2.056	2.479	2.779
27	1.314	1.703	2.052	2.473	2.771
28	1.313	1.701	2.048	2.467	2.763
29	1.311	1.699	2.045	2.462	2.756
30	1.310	1.697	2.042	2.457	2.750
31	1.309	1.696	2.040	2.453	2.744
32	1.309	1.694	2.037	2.449	2.738
33	1.308	1.692	2.035	2.445	2.733
34	1.307	1.691	2.032	2.441	2.728
35	1.306	1.690	2.030	2.438	2.724
40	1.303	1.684	2.021	2.423	2.704
60	1.296	1.671	2.000	2.390	2.660
120	1.289	1.658	1.980	2.358	2.617
∞	1.282	1.645	1.960	2.326	2.576

χ^2 分布のパーセント点

$\alpha \longrightarrow \chi^2{}_n(\alpha)$

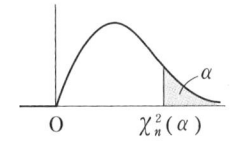

n \ α	0.995	0.990	0.975	0.950	0.500	0.050	0.025	0.010	0.005
1	$0.0^4 39$	$0.0^3 16$	$0.0^3 98$	0.004	0.455	3.84	5.02	6.63	7.88
2	0.010	0.020	0.051	0.103	1.386	5.99	7.38	9.21	10.60
3	0.072	0.115	0.216	0.352	2.366	7.81	9.35	11.34	12.84
4	0.207	0.297	0.484	0.711	3.357	9.49	11.14	13.28	14.86
5	0.412	0.554	0.831	1.145	4.351	11.07	12.83	15.08	16.75
6	0.676	0.872	1.237	1.635	5.348	12.59	14.45	16.81	18.55
7	0.989	1.239	1.690	2.17	6.346	14.07	16.01	18.48	20.3
8	1.344	1.646	2.18	2.73	7.344	15.51	17.53	20.1	22.0
9	1.736	2.09	2.70	3.33	8.343	16.92	19.02	21.7	23.6
10	2.16	2.56	3.25	3.94	9.342	18.31	20.5	23.2	25.2
11	2.60	3.05	3.82	4.57	10.34	19.68	21.9	24.7	26.7
12	3.07	3.57	4.40	5.23	11.34	21.0	23.3	26.2	28.3
13	3.57	4.11	5.01	5.89	12.34	22.4	24.7	27.7	29.8
14	4.07	4.66	5.63	6.57	13.34	23.7	26.1	29.1	31.3
15	4.60	5.23	6.26	7.26	14.34	25.0	27.5	30.6	32.8
16	5.14	5.81	6.91	7.96	15.34	26.3	28.8	32.0	34.3
17	5.70	6.41	7.56	8.67	16.34	27.6	30.2	33.4	35.7
18	6.26	7.01	8.23	9.39	17.34	28.9	31.5	34.8	37.2
19	6.84	7.63	8.91	10.12	18.34	30.1	32.9	36.2	38.6
20	7.43	8.26	9.59	10.85	19.34	31.4	34.2	37.6	40.0
21	8.03	8.90	10.28	11.59	20.34	32.7	35.5	38.9	41.4
22	8.64	9.54	10.98	12.34	21.34	33.9	36.8	40.3	42.8
23	9.26	10.20	11.69	13.09	22.34	35.2	38.1	41.6	44.2
24	9.89	10.86	12.40	13.85	23.34	36.4	39.4	43.0	45.6
25	10.52	11.52	13.12	14.61	24.34	37.7	40.6	44.3	46.9
26	11.16	12.20	13.84	15.38	25.34	38.9	41.9	45.6	48.3
27	11.81	12.88	14.57	16.15	26.34	40.1	43.2	47.0	49.6
28	12.46	13.56	15.31	16.93	27.34	41.3	44.5	48.3	51.0
29	13.12	14.26	16.05	17.71	28.34	42.6	45.7	49.6	52.3
30	13.79	14.95	16.79	18.49	29.34	43.8	47.0	50.9	53.7
40	20.7	22.2	24.4	26.5	39.34	55.8	59.3	63.7	66.8
60	35.7	37.5	40.5	43.2	59.33	79.1	83.3	88.4	92.0
120	83.9	86.9	91.6	95.7	119.3	146.6	152.2	159.0	163.6
240	187.3	192.0	199.0	205.1	239.3	277.1	284.8	293.9	300.2

▶注 たとえば，$0.0^4 39 = 0.\underbrace{000039}_{4}$

F 分布の 5 パーセント点

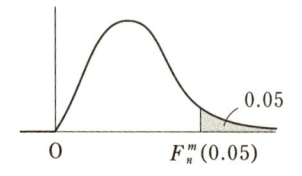

$a = 0.05$

$n \backslash m$	1	2	3	4	5	6	7	8	9
1	161.	200.	216.	225.	230.	234.	237.	239.	241.
2	18.5	19.0	19.2	19.2	19.3	19.3	19.4	19.4	19.4
3	10.1	9.55	9.28	9.12	9.01	8.94	8.89	8.85	8.81
4	7.71	6.94	6.59	6.39	6.26	6.16	6.09	6.04	6.00
5	6.61	5.79	5.41	5.19	5.05	4.95	4.88	4.82	4.77
6	5.99	5.14	4.76	4.53	4.39	4.28	4.21	4.15	4.10
7	5.59	4.74	4.35	4.12	3.97	3.87	3.79	3.73	3.68
8	5.32	4.46	4.07	3.84	3.69	3.58	3.50	3.44	3.39
9	5.12	4.26	3.86	3.63	3.48	3.37	3.29	3.23	3.18
10	4.96	4.10	3.71	3.48	3.33	3.22	3.14	3.07	3.02
11	4.84	3.98	3.59	3.36	3.20	3.09	3.01	2.95	2.90
12	4.75	3.89	3.49	3.26	3.11	3.00	2.91	2.85	2.80
13	4.67	3.81	3.41	3.18	3.03	2.92	2.83	2.77	2.71
14	4.60	3.74	3.34	3.11	2.96	2.85	2.76	2.70	2.65
15	4.54	3.68	3.29	3.06	2.90	2.79	2.71	2.64	2.59
16	4.49	3.63	3.24	3.01	2.85	2.74	2.66	2.59	2.54
17	4.45	3.59	3.20	2.96	2.81	2.70	2.61	2.55	2.49
18	4.41	3.55	3.16	2.93	2.77	2.66	2.58	2.51	2.46
19	4.38	3.52	3.13	2.90	2.74	2.63	2.54	2.48	2.42
20	4.35	3.49	3.10	2.87	2.71	2.60	2.51	2.45	2.39
21	4.32	3.47	3.07	2.84	2.68	2.57	2.49	2.42	2.37
22	4.30	3.44	3.05	2.82	2.66	2.55	2.46	2.40	2.34
23	4.28	3.42	3.03	2.80	2.64	2.53	2.44	2.37	2.32
24	4.26	3.40	3.01	2.78	2.62	2.51	2.42	2.36	2.30
25	4.24	3.39	2.99	2.76	2.60	2.49	2.40	2.34	2.28
26	4.23	3.37	2.98	2.74	2.59	2.47	2.39	2.32	2.27
27	4.21	3.35	2.96	2.73	2.57	2.46	2.37	2.31	2.25
28	4.20	3.34	2.95	2.71	2.56	2.45	2.36	2.29	2.24
29	4.18	3.33	2.93	2.70	2.55	2.43	2.35	2.28	2.22
30	4.17	3.32	2.92	2.69	2.53	2.42	2.33	2.27	2.21
40	4.08	3.23	2.84	2.61	2.45	2.34	2.25	2.18	2.12
60	4.00	3.15	2.76	2.53	2.37	2.25	2.17	2.10	2.04
120	3.92	3.07	2.68	2.45	2.29	2.18	2.09	2.02	1.96
∞	3.84	3.00	2.60	2.37	2.21	2.10	2.01	1.94	1.88

$\alpha=0.05$

10	15	20	24	30	40	60	120	∞	m/n
242.	246.	248.	249.	250.	251.	252.	253.	254.	1
19.4	19.4	19.4	19.5	19.5	19.5	19.5	19.5	19.5	2
8.79	8.70	8.66	8.64	8.62	8.59	8.57	8.55	8.53	3
5.96	5.86	5.80	5.77	5.75	5.72	5.69	5.66	5.63	4
4.74	4.62	4.56	4.53	4.50	4.46	4.43	4.40	4.36	5
4.06	3.94	3.87	3.84	3.81	3.77	3.74	3.70	3.67	6
3.64	3.51	3.44	3.41	3.38	3.34	3.30	3.27	3.23	7
3.35	3.22	3.15	3.12	3.08	3.04	3.01	2.97	2.93	8
3.14	3.01	2.94	2.90	2.86	2.83	2.79	2.75	2.71	9
2.98	2.84	2.77	2.74	2.70	2.66	2.62	2.58	2.54	10
2.85	2.72	2.65	2.61	2.57	2.53	2.49	2.45	2.40	11
2.75	2.62	2.54	2.51	2.47	2.43	2.38	2.34	2.30	12
2.67	2.53	2.46	2.42	2.38	2.34	2.30	2.25	2.21	13
2.60	2.46	2.39	2.35	2.31	2.27	2.22	2.18	2.13	14
2.54	2.40	2.33	2.29	2.25	2.20	2.16	2.11	2.07	15
2.49	2.35	2.28	2.24	2.19	2.15	2.11	2.06	2.01	16
2.45	2.31	2.23	2.19	2.15	2.10	2.06	2.01	1.96	17
2.41	2.27	2.19	2.15	2.11	2.06	2.02	1.97	1.92	18
2.38	2.23	2.16	2.11	2.07	2.03	1.98	1.93	1.88	19
2.35	2.20	2.12	2.08	2.04	1.99	1.95	1.90	1.84	20
2.32	2.18	2.10	2.05	2.01	1.96	1.92	1.87	1.81	21
2.30	2.15	2.07	2.03	1.98	1.94	1.89	1.84	1.78	22
2.27	2.13	2.05	2.00	1.96	1.91	1.86	1.81	1.76	23
2.25	2.11	2.03	1.98	1.94	1.89	1.84	1.79	1.73	24
2.24	2.09	2.01	1.96	1.92	1.87	1.82	1.77	1.71	25
2.22	2.07	1.99	1.95	1.90	1.85	1.80	1.75	1.69	26
2.20	2.06	1.97	1.93	1.88	1.84	1.79	1.73	1.67	27
2.19	2.04	1.96	1.91	1.87	1.82	1.77	1.71	1.65	28
2.18	2.03	1.94	1.90	1.85	1.81	1.75	1.70	1.64	29
2.16	2.01	1.93	1.89	1.84	1.79	1.74	1.68	1.62	30
2.08	1.92	1.84	1.79	1.74	1.69	1.64	1.58	1.51	40
1.99	1.84	1.75	1.70	1.65	1.59	1.53	1.47	1.39	60
1.91	1.75	1.66	1.61	1.55	1.50	1.43	1.35	1.25	120
1.83	1.67	1.57	1.52	1.46	1.39	1.32	1.22	1.00	∞

F 分布の 2.5 パーセント点

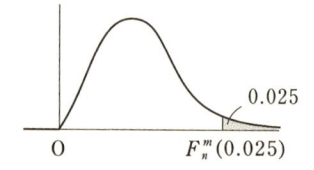

$a = 0.025$

n\m	1	2	3	4	5	6	7	8	9
1	648.	800.	864.	900.	922.	937.	948.	957.	963.
2	38.5	39.0	39.2	39.2	39.3	39.3	39.4	39.4	39.4
3	17.4	16.0	15.4	15.1	14.9	14.7	14.5	14.5	14.5
4	12.2	10.6	9.98	9.60	9.36	9.20	9.07	8.98	8.90
5	10.0	8.43	7.76	7.39	7.15	6.98	6.85	6.76	6.68
6	8.81	7.26	6.60	6.23	5.99	5.82	5.70	5.60	5.52
7	8.07	6.54	5.89	5.52	5.29	5.12	4.99	4.90	4.82
8	7.57	6.06	5.42	5.05	4.82	4.65	4.53	4.43	4.36
9	7.21	5.71	5.08	4.72	4.48	4.32	4.20	4.10	4.03
10	6.94	5.46	4.83	4.47	4.24	4.07	3.95	3.85	3.78
11	6.72	5.26	4.63	4.28	4.04	3.88	3.76	3.66	3.59
12	6.55	5.10	4.47	4.12	3.89	3.73	3.61	3.51	3.44
13	6.41	4.97	4.35	4.00	3.77	3.60	3.48	3.39	3.31
14	6.30	4.86	4.24	3.89	3.66	3.50	3.38	3.29	3.21
15	6.20	4.77	4.15	3.80	3.58	3.41	3.29	3.20	3.12
16	6.12	4.69	4.08	3.73	3.50	3.34	3.22	3.12	3.05
17	6.04	4.62	4.01	3.66	3.44	3.28	3.16	3.06	2.98
18	5.98	4.56	3.95	3.61	3.38	3.22	3.10	3.01	2.93
19	5.92	4.51	3.90	3.56	3.33	3.17	3.05	2.96	2.88
20	5.87	4.46	3.86	3.51	3.29	3.13	3.01	2.91	2.84
21	5.83	4.42	3.82	3.48	3.25	3.09	2.97	2.87	2.80
22	5.79	4.38	3.78	3.44	3.22	3.05	2.93	2.84	2.76
23	5.75	4.35	3.75	3.41	3.18	3.02	2.90	2.81	2.73
24	5.72	4.32	3.72	3.38	3.15	2.99	2.87	2.78	2.70
25	5.69	4.29	3.69	3.35	3.13	2.97	2.85	2.75	2.68
26	5.66	4.27	3.67	3.33	3.10	2.94	2.82	2.73	2.65
27	5.63	4.24	3.65	3.31	3.08	2.92	2.80	2.71	2.63
28	5.61	4.22	3.63	3.29	3.06	2.90	2.78	2.69	2.61
29	5.59	4.20	3.61	3.27	3.04	2.88	2.76	2.67	2.59
30	5.57	4.18	3.59	3.25	3.03	2.87	2.75	2.65	2.57
40	5.42	4.05	3.46	3.13	2.90	2.74	2.62	2.53	2.45
60	5.29	3.93	3.34	3.01	2.79	2.63	2.51	2.41	2.33
120	5.15	3.80	3.23	2.89	2.67	2.52	2.39	2.30	2.22
∞	5.02	3.69	3.12	2.79	2.57	2.41	2.29	2.19	2.11

$\alpha=0.025$

10	15	20	24	30	40	60	120	∞	m\n
969.	985.	993.	997.	1001.	1006.	1010.	1014.	1018.	1
39.4	39.4	39.4	39.5	39.5	39.5	39.5	39.5	39.5	2
14.4	14.3	14.2	14.1	14.1	14.0	14.0	13.9	13.9	3
8.84	8.66	8.56	8.51	8.46	8.41	8.36	8.31	8.26	4
6.62	6.43	6.33	6.28	6.23	6.18	6.12	6.07	6.02	5
5.46	5.27	5.17	5.12	5.07	5.01	4.96	4.90	4.85	6
4.76	4.57	4.47	4.42	4.36	4.31	4.25	4.20	4.14	7
4.30	4.10	4.00	3.95	3.89	3.84	3.78	3.73	3.67	8
3.96	3.77	3.67	3.61	3.56	3.51	3.45	3.39	3.33	9
3.72	3.52	3.42	3.37	3.31	3.26	3.20	3.14	3.08	10
3.53	3.33	3.23	3.17	3.12	3.06	3.00	2.94	2.88	11
3.37	3.18	3.07	3.02	2.96	2.91	2.85	2.79	2.72	12
3.25	3.05	2.95	2.89	2.84	2.78	2.72	2.66	2.60	13
3.15	2.95	2.84	2.79	2.73	2.67	2.61	2.55	2.49	14
3.06	2.86	2.76	2.70	2.64	2.59	2.52	2.46	2.40	15
2.99	2.79	2.68	2.63	2.57	2.51	2.45	2.38	2.32	16
2.92	2.72	2.62	2.56	2.50	2.44	2.38	2.32	2.25	17
2.87	2.67	2.56	2.50	2.44	2.38	2.32	2.26	2.19	18
2.82	2.62	2.51	2.45	2.39	2.33	2.27	2.20	2.13	19
2.77	2.57	2.46	2.41	2.35	2.29	2.22	2.16	2.09	20
2.73	2.53	2.42	2.37	2.31	2.25	2.18	2.11	2.04	21
2.70	2.50	2.39	2.33	2.27	2.21	2.14	2.08	2.00	22
2.67	2.47	2.36	2.30	2.24	2.18	2.11	2.04	1.97	23
2.64	2.44	2.33	2.27	2.21	2.15	2.08	2.01	1.94	24
2.61	2.41	2.30	2.24	2.18	2.12	2.05	1.98	1.91	25
2.59	2.39	2.28	2.22	2.16	2.09	2.03	1.95	1.88	26
2.57	2.36	2.25	2.20	2.13	2.07	2.00	1.93	1.85	27
2.55	2.34	2.23	2.17	2.11	2.05	1.98	1.91	1.83	28
2.53	2.32	2.21	2.15	2.09	2.03	1.96	1.89	1.81	29
2.51	2.31	2.20	2.14	2.07	2.01	1.94	1.87	1.79	30
2.39	2.18	2.07	2.01	1.94	1.88	1.80	1.72	1.64	40
2.27	2.06	1.94	1.88	1.82	1.74	1.67	1.58	1.48	60
2.16	1.94	1.82	1.76	1.69	1.61	1.53	1.43	1.31	120
2.05	1.83	1.71	1.64	1.57	1.48	1.39	1.27	1.00	∞

z 変換表・1 $r \longrightarrow z = h(r) = \dfrac{1}{2} \log \dfrac{1+r}{1-r}$

r	0.00	0.01	0.02	0.03	0.04	0.05	0.06	0.07	0.08	0.09
0.0	0.000	0.010	0.020	0.030	0.040	0.050	0.060	0.070	0.080	0.090
0.1	0.100	0.110	0.121	0.131	0.141	0.151	0.161	0.172	0.182	0.192
0.2	0.203	0.213	0.224	0.234	0.245	0.255	0.266	0.277	0.288	0.299
0.3	0.310	0.321	0.332	0.343	0.354	0.365	0.377	0.388	0.400	0.412
0.4	0.424	0.436	0.448	0.460	0.472	0.485	0.497	0.510	0.523	0.536
0.5	0.549	0.563	0.576	0.590	0.604	0.618	0.633	0.648	0.662	0.678
0.6	0.693	0.709	0.725	0.741	0.758	0.775	0.793	0.811	0.829	0.848
0.7	0.867	0.887	0.908	0.929	0.950	0.973	0.996	1.020	1.045	1.071
0.8	1.099	1.127	1.157	1.188	1.221	1.256	1.293	1.333	1.376	1.422
0.9	1.472	1.528	1.589	1.658	1.738	1.832	1.946	2.092	2.298	2.647

z 変換表・2 $z = h(r) \longrightarrow r$

r	0.00	0.01	0.02	0.03	0.04	0.05	0.06	0.07	0.08	0.09
0.0	0.000	0.010	0.020	0.030	0.040	0.050	0.060	0.070	0.080	0.090
0.1	0.100	.110	.119	.129	.139	.149	.159	.168	.178	.187
0.2	0.197	.207	.216	.226	.236	.245	.254	.264	.273	.282
0.3	0.291	.300	.310	.319	.327	.336	.345	.354	.363	.371
0.4	0.380	.389	.397	.405	.414	.422	.430	.438	.446	.454
0.5	.462	.470	.478	.485	.493	.500	.508	.515	.523	.530
0.6	.537	.544	.551	.558	.565	.572	.578	.585	.592	.598
0.7	.604	.611	.617	.623	.629	.635	.641	.647	.653	.658
0.8	.664	.670	.675	.680	.686	.691	.696	.701	.706	.711
0.9	.716	.721	.726	.731	.735	.740	.744	.749	.753	.757
1.0	.762	.766	.770	.774	.778	.782	.786	.790	.793	.797
1.1	.800	.804	.808	.811	.814	.818	.821	.824	.828	.831
1.2	.834	.837	.840	.843	.846	.848	.851	.854	.856	.859
1.3	.862	.864	.867	.869	.872	.874	.876	.879	.881	.883
1.4	.885	.888	.890	.892	.894	.896	.898	.900	.902	.903
1.5	.905	.907	.909	.910	.912	.914	.915	.917	.919	.920
1.6	.922	.923	.925	.926	.928	.929	.930	.932	.933	.934
1.7	.935	.937	.938	.939	.940	.941	.942	.944	.945	.946
1.8	.947	.948	.949	.950	.951	.952	.953	.954	.954	.955
1.9	.956	.957	.958	.959	.960	.960	.961	.962	.963	.963
2.0	.964	.965	.965	.966	.967	.967	.968	.969	.969	.970
2.1	.970	.971	.972	.972	.973	.973	.974	.974	.975	.975
2.2	.976	.976	.977	.977	.978	.978	.978	.979	.979	.980
2.3	.980	.980	.981	.981	.982	.982	.982	.983	.983	.983
2.4	.984	.984	.984	.985	.985	.985	.986	.986	.986	.986
2.5	.987	.987	.987	.987	.988	.988	.988	.988	.989	.989
2.6	.989	.989	.989	.990	.990	.990	.990	.990	.991	.991
2.7	.991	.991	.991	.992	.992	.992	.992	.992	.992	.992

正 規 確 率 紙

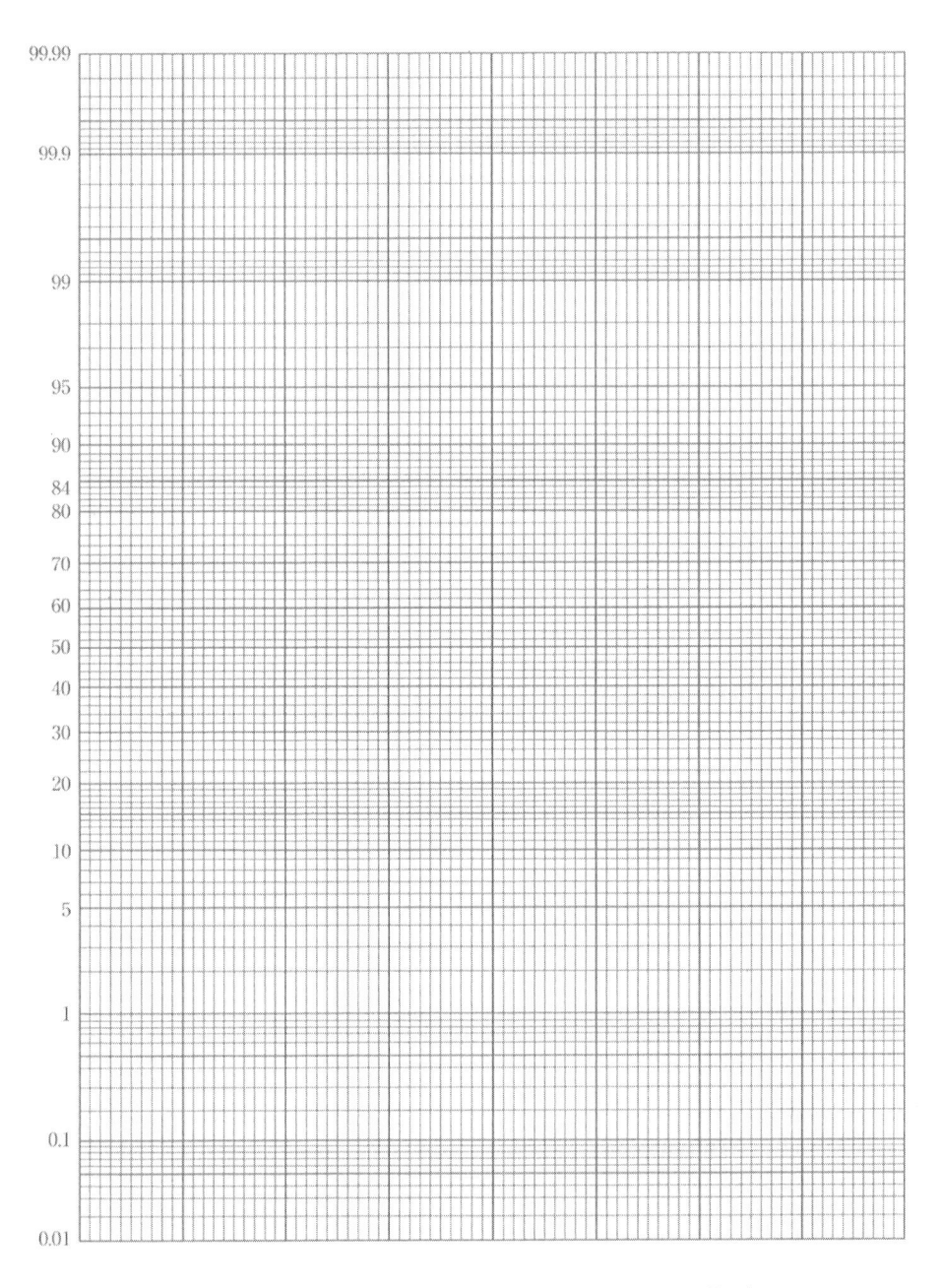

索　引

い・え・お

イェツの補正	181
F 分布	157
大きさ	5, 100

か

回帰直線	41, 43
階乗	72
階級，階級値	6
χ^2 分布	123
確率関数	50
確率分布	51
確率変数	50
仮説検定	136
片側検定	139

き・け

棄却域	138, 141
危険率	140
期待値	53, 64
帰無仮説	137
共分散	37, 69
検定	136

さ

サイズ	5
再生性（正規分布の）	94
（χ^2 分布の）	125
最頻値	21
散布図	34
散布度	23

し・す

四分偏差	29
自由度	118, 126
順列	72
周辺確率関数	59
信頼区間，信頼度	113
鈴木の公式	4
スタージェスの公式	4

せ・そ

正規確率紙	173
正規分布・正規曲線	79
z 変換	187
全数調査	98
相関係数	37, 43, 69
相関図	34

た・ち

第一種（二種）の誤り	140
大数の法則	67
対立仮説	137
チェビシェフの定理	30
中位数	18, 20
中心極限定理	107

て・と

t 分布	118
適合度の検定	168
統計的仮説検定	136
同時確率分布	63
同時確率変数	58
独立性（確率変数の）	63
——の検定	177
度数	2
——分布折れ線	10
——分布表	7

に

二項分布	71

2次元確率変数	58	母比率	129	**記　号**	
2次元正規分布	184	母分散，母平均	99	$\bar{x}$	16
は・ひ		**み・む・め・も**		$\tilde{x}, Me(x)$	18, 20
範囲	6	右側検定	139	$\tilde{x}_0, M_o(x)$	21
半整数補正	92	密度(関数)	51	Σ	17, 27
ヒストグラム	8	無作為抽出	100	$\sigma(x), \sigma^2(x)$	24, 25
左側検定	138	無相関	35	$C(x,y), r(x,y)$	37
標準化(正規分布の)	85	——検定	186	$E(X)$	53
標準正規分布	84	メディアン	18, 20	$V(X), \sigma(X)$	54
標準偏差	24, 25, 54	モード	21	$\bar{X}$	66
標本，——抽出	100	**ゆ**		$_nP_r, n!$	72
——調査	98			$_nC_r$	73
——分散	108	有意水準	137	$Bin(n,p)$	71
——平均	107	**ら・り・る・れ**		$N(\mu, \sigma^2)$	80
ふ・へ・ほ				$I(z)$	86
		ラプラスの定理	92	$z(\alpha)$	87
不偏分散	117	乱数	101	U^2	117
分散	25, 54, 64	離散的確率変数	50	$t(k), t_k(\alpha)$	119
平均(値)	16, 53	両側検定	139	$\chi^2(k)$	123
ベルヌーイ試行	71	累積度数	7	$\chi_k^2(\alpha)$	124
変動係数	32	——折れ線	10	$F(m,n)$	157
ポアソン分布	76	レンジ	6	$F_n^m(\alpha)$	158
母集団	99	連続的確率変数	50	$h(R)$	187

● 参考書

　まずは，この本をご愛読下さった読者のみなさんに，心よりありがとうを申し上げます．

　この本をかくとき，何らかの意味で参考にさせていただいた本の一部，読者のみなさんが進んで勉強されるときの参考書を，思い付くままに挙げておきます．

　　［1］脇本和昌「統計学 ── 見方・考え方」日本評論社　1984
　　［2］小寺平治「明解演習　数理統計」共立出版　1986
　　［3］石村貞夫「すぐわかる統計解析」東京図書　1993
　　［4］稲垣宣生「数理統計学」裳華房　1990
　　［5］野田一雄・三野大來「やってみよう統計」共立出版　1997
　　［6］鈴木儀一郎「ずばりわかる統計分析Q＆A」森北出版　2001

　とくに［1］は，史的考察に関する記述が見られ，［3］には，従来の区間推定法とは異なる視点からのブートストラップ法（母平均をコンピュータを使って推定するノンパラメトリックな方法）の寸描があります．

　この本で扱えなかった 順位相関係数・点推定・ノンパラメトリック法などの話題は，［1］〜［6］を，かけなかった定理の証明の一部については，とくに，［2］，［4］をご覧下さい．

　Excel・SAS・SPSS大繁昌の現代です．Excelによる統計として，たとえば，

　　［7］　小椋將弘「Excelで簡単統計」講談社　2001

著者紹介

小寺 平治（こでら へいじ）

1940年　東京都に生まれる．
東京教育大学理学部数学科卒．同大学院博士課程を経て，
愛知教育大学助教授・同教授を歴任．
愛知教育大学名誉教授．
数学基礎論・数理哲学専攻．

NDC413　222p　21cm

ゼロから学ぶシリーズ
ゼロから学ぶ統計解析

2002年 1 月30日　第 1 刷発行
2025年 2 月13日　第27刷発行

著　者　小寺平治
発行者　篠木和久
発行所　株式会社　講談社
　　　　〒112-8001　東京都文京区音羽2-12-21
　　　　　販売　(03)5395-5817
　　　　　業務　(03)5395-3615

KODANSHA

編　集　株式会社　講談社サイエンティフィク
　　　　代表　堀越俊一
　　　　〒162-0825　東京都新宿区神楽坂2-14　ノービィビル
　　　　　編集　(03)3235-3701

印刷所　株式会社KPSプロダクツ・半七写真印刷工業株式会社
製本所　株式会社国宝社

落丁本・乱丁本は購入書店名を明記のうえ，講談社業務宛にお送りください．送料小社負担でお取り替えします．
なお，この本の内容についてのお問い合わせは講談社サイエンティフィク宛にお願いいたします．
定価はカバーに表示してあります．
©Kodera Heiji, 2002
本書のコピー，スキャン，デジタル化等の無断複製は著作権法上での例外を除き禁じられています．本書を代行業者等の第三者に依頼してスキャンやデジタル化することはたとえ個人や家庭内の利用でも著作権法違反です．

Printed in Japan
ISBN978-4-06-154656-2

平治親分の大好評教科書

はじめての統計15講

小寺 平治・著

A5・2色刷り・134頁・定価2,200円

よくわかる——これが、この本のモットーです。
ムズカシイ数学は不要（いり）ません。加減乗除と$\sqrt{\ }$だけで十分です。しかし、この本は単なるマニュアル本ではありません。難しい証明はありませんが、統計学を一つのストーリーとして読んでいただけるように努めました。

はじめての微分積分15講

小寺 平治・著

A5・4色刷り・174頁・定価2,420円

丁寧な解説と珠玉の例題で1変数の微分積分から多変数の微分積分まで 大学の微分積分を完全マスター！1日1章で15日で終わる！半期の授業（15回）の教科書に絶好！オールカラー

はじめての線形代数15講

小寺 平治・著

A5・4色刷り・172頁・定価2,420円

線形代数に登場する諸概念や手法のroots・motivationを大切にし、基礎事項の解説とその数値的具体例を項目ごとにまとめました。よくわかることがモットーです。大学1年生の教科書としても参考書としても最適です。

なっとくする微分方程式

小寺 平治・著

A5・262頁・定価2,970円

微分方程式のルーツともいえる変数分離形に始まって、ハイライトとなる線形微分方程式、何かと頼りになる級数解法、さらに工学的に広く用いられるラプラス変換の偉力までを、筋を追ってわかりやすく説明しました。

ゼロから学ぶ統計解析

小寺 平治・著

A5・222頁・定価2,750円

天下り的な記述ではなく、統計学の諸概念と手法を、rootsとmotivationを大切にわかりやすく解説。学会誌でも絶賛の楽しく、爽やかなベストセラー入門書。

※表示価格には消費税（10%）が加算されています。　　2022年1月現在

講談社サイエンティフィク　https://www.kspub.co.jp/